PHILOLOGISCHE STUDIEN UND QUELLEN

Herausgegeben von

Wolfgang Binder · Hugo Moser · Karl Stackmann

Heft 57

Der Truchseß Keie im Artusroman

Untersuchungen zur Gesellschaftsstruktur im höfischen Roman

von

Jürgen Haupt

p. 15

p. 20

p. 27/8

ERICH SCHMIDT VERLAG

ISBN 3 503 00588 9

© Erich Schmidt Verlag, Berlin 1971
Druck: von Münchowsche Universitätsdruckerei, Gießen
Printed in Germany · Nachdruck verboten

Vorbemerkung

Diese Arbeit wurde am 24. 2. 1967 als Dissertation von der Philosophischen Fakultät der Universität Freiburg/Brg. angenommen. Angelegt als Monographie über die Keie-Figur verschob sich die Fragestellung während der Untersuchung und späteren Umarbeitung zunehmend auf Probleme der Intention und Struktur der Artus-Epik insgesamt.

Gedankt sei Prof. Bruno Boesch für seine stete Anteilnahme und Hilfe.

Hannover, im Februar 1971   Jürgen Haupt

Inhalt

„dir waere ouch eines Keien nôt"

(Wolfram von Eschenbach)

Zur Einführung

Der „Artus-Roman" ist altes philologisches Gelände: Über ihn ist bereits
so tiefgründig und umfassend gehandelt, daß meine Arbeit ihren Sinn nur
darin haben will, durch dieses durchforstete Gebiet der Literaturgeschichte
eine schmale Schneise zu schlagen, mit ungewohntem Ausgangspunkt und
eingegrenzter Blickrichtung. Aus dem dichtgedrängten Figuren-Reigen des
„Artus-Romans" wird eine einzige Gestalt herausgegriffen; sie ist nicht
einmal der „Held" eines dieser zahlreichen Ritterromane des 12., 13., 14.
Jahrhunderts, sondern scheint beschränkt auf eine belanglose Nebenrolle.

Die kaum mehr übersehbare wissenschaftliche Forschung zum „Artus-Roman" hat denn auch zu diesem speziellen Thema sehr wenig beigetragen [1]:
In vielen Abhandlungen wohl einige Zeilen, einige verstreute Bemerkungen über die Keie-Figur, meist summarisch und nicht sehr detailliert; sie
bieten jedenfalls kaum Ansatzpunkte für eine intensive Auseinandersetzung. Schon immer fiel zwar die Eigentümlichkeit dieser Figur auf, schien
aber ein besonderes Interesse nicht zu lohnen. Produktive Fragen gestellt
und damit diese Untersuchung gefördert haben eigentlich nur drei Arbei-
ten: von Hildegard E m m e l [2], von Erich K ö h l e r [3] und von Max
W e h r l i. [4]

Warum unser Interesse für eine so entlegene Randfigur? Zunächst: Das
Ungewöhnliche an dieser Gestalt fällt selbst in der so verschwenderisch

---

[1] Es gibt zwei ältere Untersuchungen zur Keie-Gestalt: von K. MUSILACKE, Kei
der katspreche, Phil. Diss., Berlin 1872, und von ASELMANN, K., Der Marschal
Keu in den altfrz. Artusepen, Phil. Diss., Jena 1925. Leider bleiben sie, von einem
positivistischen Standpunkt ausgehend, viel zu sehr stofflich orientiert und be-
gnügen sich zumeist mit inhaltlichen Aufzählungen und der Konstatierung von
‚Charaktereigenschaften' Keies.
[2] EMMEL, H., Formprobleme des Artusromans u. d. Graldichtung, Bern 1951.
[3] KÖHLER, E., Ideal und Wirklichkeit in der höfischen Epik, in: Z. f. rom. Ph.,
Beih. 97, Tübingen 1956.
[4] WEHRLI, M., Strukturprobleme d. ma. Romans, in: WW 10, 1960, S. 33 ff.

vielfarbigen Phantasiewelt dieser Romane ins Auge: Eine schwer greifbare Erscheinung, zwiespältig in allen ihren Auftritten, überraschend individuell, kauzig beinahe — und doch in jedem Roman eine charakteristische Rolle, eine eindeutige, wirkungsvolle Funktion. Immer wenn König Artus seine „Tafelrunde" versammelt, seine heiteren Märchenfrühlingsfeste feiert, tritt auch sein Haushofmeister aus dem Hintergrund, gleichsam ein zweiter homerischer Thersites als spöttischer Kritiker der Hofgesellschaft — der Truchseß K e i e .

Wer ist dieser Keie? Eine erste Vorstellung scheint nötig für denjenigen, der mit dem „Artus-Roman" wenig vertraut ist. Selbst wenn man Keies Erscheinung vorläufig skizziert, kommt nur mühsam ein Gesamtbild zustande. Eine einfache „Summierung" der einzelnen Keie-Darstellungen scheitert an der übergroßen Variation der Charakterzüge und Handlungsdetails. Nur im Negativen läßt sich „Einheit" erkennen und global konstatieren: Keie ist generell eine Art von „Gegen-Figur" zum Normal-Ritter-Typ, einmal durch das — problematisch zu sagen — „individualistische" Gebaren (s. u.), zweitens durch seine Funktion als P r o v o k a t e u r . Schwierig ist es, hier Individuelles und zum Typ Gehöriges herauszufiltern, denn die Keie-Gestalt ist ja keineswegs losgelöst von der Typik der übrigen Artus-Ritter-Gestalten. Ein Träger etwa abstrakter Ehrismannscher Rittertugenden ist Keie freilich ebensowenig wie das Gegenteil: eine tölpelhafte Ritter-Karikatur. „Alternativen" der Deutung Keies werden der komplizierten Gestalt nicht gerecht. Vorwiegend freilich im (moralisch und ästhetisch) Negativen ist das Bild dieser Figur angesiedelt; erstaunt fragt man sich, wie diese umstrittene, öfters peinlich aus dem Rahmen höfischer Konvention herausfallende Gestalt sich halten, sogar sich unverfroren behaupten kann mitten im Kreis der betont idealisierten, höfisch-vollkommenen Artus-„Tafelrunde".

Der Grund liegt in Keies Funktion: Als T r u c h s e ß ist er unentbehrlich. Er nimmt eine undurchsichtige Zwischenstellung ein zwischen einem Hof-Beamten, einem gleichberechtigten Ritter der „Tafelrunde" und einem Vertrauten des Königs. In der Hofgesellschaft ist er isoliert, ein Außenseiter, der immer zur falschen Zeit vorprellt, das „enfant terrible" der Artus-Gemeinschaft. Stets ist er in Konflikte und Affären verwickelt, gefährlicher Machtwahn wechselt mit plötzlich einbrechender Lächerlichkeit. Er kann ein täppisches Großmaul sein (z. B. im *Erek*), ein ehrgeiziger Haudegen (z. B. im *Lancelot*), ein arroganter Höfling (z. T. im *Perceval*), ein neidischer Intrigant (im *Iwein*) oder auch ein treuer, tüchtiger Truchseß (im *Parzival*). Allen diesen Keie-Ausprägungen gemeinsam ist die notorische Aggressivität bei gleichzeitiger Unzulänglichkeit im Sinne höfischer Gesittung. Stur verficht Keie (bestenfalls) einen konservativen Begriff von *êre*, wird aber immer wieder von der höfischen Gesellschaft als ungeliebter *merkaere* und lächerlicher Angeber disqualifiziert. Er bleibt dennoch ein gefährlicher Gegner und schwieriger Partner, mit dem sich jeder auseinandersetzen muß, wird nie völlig bedeutungslos wegen seiner engen Beziehungen zum König, zu Gawein, zum Romanhelden. Es wird deutlich geworden sein: K e i e in und außerhalb der höfischen G e s e l l s c h a f t, die gegenseitigen Wirkungen und Reaktionen — dieses Thema verdient Interesse, verschafft Einblick in den inneren Bau des „Artus-Romans".

Vor diesen weiterreichenden und schwierigen Fragen muß aber zunächst ein umfassendes, zugleich differenziertes Bild von Keies literarischer Erscheinung geschaffen werden — trotz der zumeist kurzen, kargen Textstellen. Genaues Beschreiben und Vergleichen ist vorrangig, wobei man die meist knappen, allgemein unbefriedigenden Interpretationsversuche in früheren Untersuchungen am besten bei Seite läßt. Alle Aufmerksamkeit gilt also zunächst dem Text. Die Keie-Darstellung wird gleichsam als Kontinuum betrachtet: allmähliche Herausbildung eines literarischen Musters mit seinen späteren Abwandlungen. (Vor)wissen über Autoren, Werkentstehung, Datierung, literaturgeschichtliche Probleme wurde bewußt vorerst zurückgedrängt.

Daß sich in der Keie-Darstellung rasch eine feste Tradition ausbildet, ist nicht verwunderlich; vielmehr überrascht das breite Spektrum von Deutungen und Wertungen von Roman zu Roman: Mit dieser Figur scheinen die Autoren viel zu glatt oder — nie ganz fertig geworden zu sein. Die Mobilität sowohl der Gesamterscheinung wie der Details ist viel größer als z. B. bei der vergleichsweise „statischen" Gegenfigur G a w e i n . In der zweihundertjährigen, nicht eben immer bedeutenden Geschichte der Keie-Figur war vor allem die ausführlichste und tiefgründigste Darstellung Keies bei den repräsentativen deutschen Autoren des Hoch-Mittelalters zu untersuchen: H a r t m a n n und W o l f r a m bringen diese Figur zu einem Aufleuchten in ihrer langen, oft unansehnlich-dunklen Spur ihrer literarischen Entwicklung. Keinesfalls aber war zu verzichten auf eine (freilich relativ sparsame) Behandlung der Keie-Bemühungen des großen französischen Dichters C h r é t i e n : Seine zahlreichen Romane vor allem sind das Quellgebiet für die Traditionsströme sowohl des Keie-Bildes wie des „Artus-Romans" in seiner Gesamtheit. Bei Chrétien, Hartmann und Wolfram gewinnt die Keie-Figur einen ähnlichen Umriß, eine (bei verschiedener Bewertung) gleich große Bedeutung. Alle sog. „s p ä t h ö f i s c h e " Epik (nach Wolfram) bezieht sich in verschiedenster Akzentuierung auf diese „klassischen" Keie-Darstellungen. Unsere dort, im hochhöfischen Roman, gefundenen Erkenntnisse können also vorausgesetzt, wenn nicht als Maß, so doch als Fragen erneut an diese späteren Romane gestellt werden. Die dadurch ermöglichte A u s w a h l der Texte, die Zielrichtung und Abgrenzung der (nie voraussetzungslosen) Interpretation und eine gewisse Typisierung und Zusammenfassung der Keie-Darstellungen ist wohl ein größerer Gewinn als eine lückenlos-endlose Aneinanderreihung aller existierenden Keie-Gestaltungen und -Einzelheiten.

Am Ende wird sich erweisen, daß die angedeuteten Aspekte der Keie-Darstellung: negative Bewertung des Charakters, gesellschaftliche Funktion, Handlungsbedeutung und schließlich ihre Komik in einem funktionalen Zusammenhang stehen: Das erzielt die Ganzheitlichkeit und die Bedeutungsfülle dieser Figur im (hoch)-höfischen Roman. Die bewußte Ausbildung dieser scheinbar so nebensächlichen Gestalt und die Entwicklung des „Artus-Romans" sind — das wird zu zeigen sein — durcheinander vermittelte Vorgänge, so daß man selbst in und mit dieser Randfigur Keie Beginn, Ausbildung und Verfall des „Artus-Romans" erkennen kann.

I. Die Keie-Figur bei C h r é t i e n von Troyes

Die Keie-Figur in der mittelhochdeutschen Epik — das ist das Thema: und doch beginnt man mit gutem Grund bei Chrétien von Troyes. Er ist der eigentliche Schöpfer des „Artus-Romans" [1]; seine künstlerische Organisationskraft machte aus dem „Stoff", der keltischen *matière de Bretagne* erst den „höfischen Roman". In den letzten Jahrzehnten des 12. Jahrhunderts entstanden am Hof, im gesellig-literarischen Kreis seiner engagierten Gönnerin Marie de Champagne die vier Artus-Romane, die aller Keie-Gestaltung zu Grunde liegen: *Erec, Lancelot, Yvain, Perceval*.

Die direkte Wirkung auf die Zeitgenossen und mittelbar auf die folgende Literatur bis hin zum Barockroman war unabsehbar groß. Schon an den Roman-Titeln erkennt man die „Schüler" in Deutschland: Jede Untersuchung über den höfischen Roman in Deutschland hat auf die französischen Vorlagen zurückzugehen. Aber nicht nur literarisch ist Chrétiens Wirkung einzuschätzen: Stil und Bild der Gesellschaft, das er vor seinem Publikum aufbaut, formt entscheidend die neue „höfische" Gesellschaftskultur, indem sie Leitbilder aufstellt und Verhaltensweisen vor-prägt, denen das Leben nachspielt.

Die Begründung einer Stil-Tradition in Literatur und Gesellschaft erheben Chrétiens Romane zu paradigmatischer Bedeutung. Vom *Erec* bis hin zum *Perceval* begegnet man gleichen Gestalten, verwandten Problemen, unveränderten Idealen. Diese Geschlossenheit des künstlerischen Werkes gibt die einzigartige Möglichkeit, die Entwicklung der Keie-Figur in ihrer allmählichen Ausgestaltung zunächst allein bei diesem einen Dichter zu verfolgen.

E r e c

Im *Erec*-Roman, kurz nach der Mitte des 12. Jahrhunderts (1155 oder 1165) [2], richtet sich zum ersten Mal die künstlerische Aufmerksamkeit auf

---

[1] U. a. EMMEL, H., a. a. O., S. 11.
[2] Entstehung um 1165/70, vgl. u. a. RUH, K., Höfische Epik des deutschen Mittelalters I, Berlin 1967, S. 97.

die Gestalt des „Keie" oder frz. „Keu".[3] Am Artus-Hof, seinem Wirkungskreis, tritt Keu in einer kleinen Episode zuerst in Erscheinung. Zum Nut-
zen seines Königs erkennt *li seneschaus* (1095) erfahren als erster einen
zum Hof kommenden Fremden (Yder) und meldet ihn der Königin im
Auftrag von Gauvain, dem Neffen des Königs. Zwei Merkmale kann
man in diesem Anfang der Keie-Gestaltung notieren: Seine Funktion bei
Hofe, die Tüchtigkeit des Seneschalls und die Beziehung, vielleicht die
Abhängigkeit zu Gauvain, Merkmale, die sich von Roman zu Roman ver-
stärken werden. Chrétien knüpft offenbar an das an, was man bisher
(allenfalls) von dieser Gestalt wußte, an das spärliche Wissen vom „tüchtigen Truchseß" (vgl. Kap. IV).

Ein bald unverwechselbares Profil dagegen zeigt Keu bei seinem bedeu-
tenderen zweiten Auftritt in der Auseinandersetzung mit Erec. Die Artus-
Gesellschaft hat ihre Zelte im Frühlingswald aufgeschlagen; im Lager ergreift Keu Pferd und Waffen von Gauvain, um sich brüsten zu können
in der Rüstung des berühmten Ritters — ohne um Erlaubnis zu fragen:
vielleicht nicht bösartig, aber gedankenlos und eitel. Erec, nach schweren
Kämpfen verwundet und ermattet, unvermutet in der Nähe des Jagdlagers, erkennt Pferd und Waffen, weiß aber nicht, was es mit dieser seltsamen Karikatur Gauvains auf sich hat. Der von Keu ehrgeizig erzwungene Vergleich mit dem Ideal-Ritter Gauvain — hier bereits deutet sich ihr
Kontrast an — ruft Heiterkeit hervor. Keu aber erkennt nicht den, den
er vom Hof kennen müßte, grußlos greift er dem Fremden in die Zügel
und fragt ihn *par grant orguel* (3989) — [hochmütig], wer er sei! Die
Frage nach dem Namen ist in dieser Form beleidigend: Nur ein Besiegter
muß sich mit seinem Namen ausliefern; für das Geheimhalten des Namens,
das Verbergen vor der potentiell feindlichen Öffentlichkeit, gibt es Beispiele in fast jedem Roman.[4] Auf das unhöfliche, umfassender: "unhöfische" und aggressive Benehmen Keues reagiert denn auch Erec empfindlich: Der Konflikt zwischen Keie und dem Romanhelden ist da, Keimzelle
aller späteren Keie-Szenen. Er ist hier schon begründet in Keus Verständnislosigkeit: Sorgen und Wesen anderer bleiben ihm fremd; Keu ist in

---

[3] ZWIERZINA, K., Z. f. dt. A. 45, S. 324, betont, daß Keye, Keiî, Kaie, Kay u. a.
ursprünglich nicht den Laut „ei" wiedergeben, sondern das frz. „keu". — ich
benutze einheitlich die Schreibung „Keie".
[4] Z. B. im Erec/Yder-Kampf oder im *Perceval* zu Beginn oder später bei Gauvain; vgl. dazu etwa BEZZOLA, R., Le sens de l'aventure et de l'amour, Paris 1947,
dt. Übersetzg. rde, Hamburg 1961, S. 39 u. 114.

einem umfassenden Sinn der „Begrenzte". Erec wehrt ihn ab: *Ne savez mie mon besoing* (4013) — [Ihr wißt ja nicht mein Anliegen, meine Sorge]. Der unerwartete Widerstand reizt Keu, seine Eigenliebe ist verletzt, er fühlt sich mißverstanden. Mit Gewalt will er den Fremden fortzerren, das entrüstete Urteil Erecs hält ihn nicht zurück: *. . . orguelleus et estout* (4038) — [übermütig und frech]. So stolpert Keu in einen von ihm provozierten, nun unvermeidlich gewordenen Kampf, blind für eigene und fremde Umstände, hingerissen von einer Zügellosigkeit und Aggressivität wie später im *Perceval.* Obwohl er keine Rüstung trägt, denkt er nicht an Flucht, tapfer stellt er sich zum Kampf. Diesen lang ererbten Zug beläßt Chrétien der Keie-Figur; er verstärkt ihn in den späteren Romanen sogar als Keus beinah einzige „positive" [5] Qualität. Die „Tapferkeit" erhält aber einen negativen Anstrich dadurch, daß sie als unreflektiertes In-sich-ruhen erscheint: ein Haudegen, der weder links noch rechts schaut und sich damit immer wieder in peinliche Lagen bringt. Chrétien zeigt Erecs Überlegenheit, gerade auch im Sittlichen: Erec dreht das stumpfe Ende der Lanze gegen diesen beleidigenden Hanswurst, bedeutet ihm damit, daß er ihn nicht als ebenbürtigen Gegner akzeptiert — Keu fliegt denn auch sofort aus dem Sattel. Diese Niederlage, die erste einer langen Kette in der Geschichte dieser Figur, wirft Keu für einen Augenblick aus seiner Selbstsicherheit, verstört und zerknirscht bittet er um das „entlichene"(!) Pferd; Gauvains berühmter Name muß ihm in seiner Blamage zu Hilfe kommen; (an diesen Zügen der Schwäche wird später Hartmanns Keie-Deutung ansetzen).

Chrétien stellt wiederum eng gekoppelt das Gauvain-Bild gegen das Keie-Bild, freilich noch ohne eine persönliche Konfrontation dieser Antipoden. Gauvain erscheint auf der „Kampf"-statt. Er fragt nicht, er drängt nicht, denn: *Gauvain estoit de mont grant san* (4112) — [Gauvain war von sehr großem Verstand]. Klug und taktvoll beachtet er im Gegensatz zu Keu die Umstände, hält Erec durch höfliche Plauderei auf, läßt inzwischen heimlich das Lager auf Erecs vermutlichen Weg verlegen, so daß das Ziel, Erec vor den König zu bringen, unblutig, auf die raffiniert-eleganteste Weise erreicht wird.
Dieser Kontrast zum idealen Vertreter des höfischen Rittertums belegt Keies Erscheinung, vielleicht mehr als der Konflikt mit Erec, mit einem negativen Akzent. Die spätere Verurteilung von Keus „schlechtem Charak-

---

[5] ‚positiv' — ‚negativ' natürlich immer aus der Perspektive der ritterlichen Werte-Vorstellungen gesehen.

ter" (im *Yvain* oder *Perceval*) scheint an mehreren Stellen bereits angedeutet: in seiner Gereiztheit und Brutalität, den scheinbar unterlegenen
Erec in seine Gewalt zu bekommen. Merkwürdigerweise wird im Ritter-
katalog (nur an dieser Stelle überhaupt) ein Sohn Keus genannt: *Gronosis,
qui mout fut de mal* (1740) — [Gronosis, der voll Bosheit war], eine
Kennzeichnung, die nicht zufällig bald auf den Keu der späteren Romane
übergehen wird.

Chrétien äußert sich — wie eigentlich immer — nicht psychologisch über
Keie. Das schroffe Nebeneinander von Tapferkeit und Lächerlichkeit, von
Mut und Gejammer bereits in der ersten bedeutenden Keie-Szene wird zum
„Typ" ausgebaut. Jeder spätere Dichter folgt der von Chrétien geschaffe-
nen Grundform von Charakter und Szene, wiederholt sie stereotyp oder
variiert sie leicht: die ehrgeizige H e r a u s f o r d e r u n g des Roman-
helden und die rasche Niederlage; Keies unhöfisches Benehmen und seine
Borniertheit geben der Niederlage den Charakter einer B e s t r a f u n g.
Im *Erec* scheint der Autor noch kein spezielles Interesse an der Keie-Figur
zu haben. Er stellt sie völlig isoliert und unvorbereitet ins Roman-Gesche-
hen, in einer heiteren Episode voller Situationskomik: die Parodie eines
ritterlichen Kampfes, ein Satyrspiel, eingestreut zwischen die dramatischen
Bewährungskämpfe des Romanhelden, zur Belustigung und Entspannung
seines Publikums.

Lancelot

In seinem zweiten Artusroman, vielleicht ein Jahrzehnt nach dem *Erec* [6],
wahrscheinlich im Auftrage seiner Gönnerin Marie de Champagne geschrieben, stellt Chrétien an den Anfang wieder die Schilderung des Artus-
hofes: Von hier geht alle Handlung aus, hierhin wird sie am Ende zurück-
führen. Bewußt stellt der Autor jetzt im Unterschied zum ersten Roman
auch sogleich Keu in diesen Rahmen. Keu gehört zum Umkreis des Königs;
ohne diesen hätte der Seneschall keine Funktion. Dieser enge Zusammenhang von König und Keie wird seit dem *Lancelot* konstitutiv für alle folgenden Artusromane Chrétiens und entsprechend für die Hartmanns und
Wolframs: Für die Keu-Figur bedeutet das eine Positionsverstärkung. Aus
der unpersönlich-zufälligen Rolle im *Erec* tritt er heraus in lebendige, sein
Wesen enthüllende Beziehung und Auseinandersetzung mit der Hofgesellschaft.

---

[6] Entstehung vermutlich 1177—81, vgl. RUH, K., a. a. O., S. 97.

Unvermittelt tritt ein fremder Ritter vor den überraschten Hof: Die *aventiure* beginnt [7], auch das ist eine Konvention jedes Artusromans. Der riesenhafte, offenbar übermächtige und gefährliche Fremde (Meléagant) tritt herausfordernd unhöfisch, ohne Gruß vor den König, beleidigt ihn, ohne daß ihm widersprochen wird, und bringt eine atemberaubend maß-lose Forderung vor: Er verlangt, ihm die Königin Guinièvre zu überlassen — ,die Artusritter mögen zusehen, ob sie sie wieder befreien und ihn be-siegen könnten!' Die Artus-Gesellschaft ist gegenüber dieser unerhörten Herausforderung wie erstarrt, so ratlos und so unsicher wie in keinem der Romane Chrétiens sonst; Gauvain ist in diesem gefährlichen Augenblick nicht zur Hand. Plötzlich tritt der Seneschall Keu vor seinen gedemütigten König:

> *Rois, servi t'ai molt longemant,*
> *... a buene foi et leaumant...* (87 ff.)
> [König, ich hab dir lang gedient..., pflichttreu und
> aufrichtig... ich habe keine Lust mehr,
> dir länger zu dienen.] [8]

Artus ist bestürzt: Keu, offensichtlich einer seiner besten Ritter, will ihn ausgerechnet jetzt in Stich lassen! Wie ist Keus Aktion zu beurteilen? Seine gesellschaftliche Stellung scheint etwas untergeordnet: Er bediente bei Tisch (43) und aß zusammen mit den *conestables* und *serjanz* [Diener] am Be-diententisch, ein Truchseß nicht in der hohen Würde des Ehrenamtes für den Hochadel, sondern wohl eher in einem Dienst-Verhältnis, wie es die reduzierte Wirklichkeit dieses Amtes im 12. Jhdt. zeigt (vgl. Kap. IV). Vielleicht deshalb ist Keus Ehrgeiz so groß, sich hervorzutun vor der höfi-schen Gesellschaft? Sein Kampfgeist und die Überschätzung seiner Möglich-keiten, im Ansatz schon aus dem Kampf mit Erec bekannt, resultieren aus diesem forcierten Ehrgefühl. Er identifiziert sich geradezu mit der *ére* des Hofes, so daß aus seiner Sicht nur Abschied vom versagenden Hof oder ein gewaltsamer „Sprung in die Bresche" übrigbleiben: ,Er wolle bleiben, wenn man ihm die Befreiung der Königin anvertraue'. Dieser Vor-stoß wirkt auf den unglücklichen König freilich wie eine Erpressung.[9] Die

---

[7] Alle *aventiure* beginnt mit einer Herausforderung des Artus-Hofes: Die Sicher-heit der Gesellschaft wird vom Einzelnen in Frage gestellt, vgl. dazu etwa KÖHLER, E., a. a. O., Kap. III.
[8] Zum Text: Der altfrz. Text wird, falls nicht leicht verständlich, normalerweise mit nhd. Übersetzung zitiert; zuweilen wird nur nhd. zitiert, wenn der altfrz. Text allzu umfangreich ist.
[9] Die Verpflichtung zum *don* begrenzt die Machtfülle des Königs, vgl. KÖHLER, E., a. a. O., S. 33.

triuwe zum Artushof und diese unreflektierte Aktivität machen Keu zwar im Normalfall unentbehrlich für den König, wirken sich hier aber verheerend aus: Er verwirrt die Fronten, erhöht — bei bester Absicht — die Bedrängnis des Königs und des Hofes, die in ohnmächtiger Erregung diesem halsstarrigen Ehrgeiz Keus ausgeliefert sind; *êre* oder *unêre*, das ist die einzige Alternative, die Keus Begrenztheit zuläßt. Die Anmaßung Keus findet denn auch im folgenden Kampf mit dem übermächtigen Gegner ihre Bestrafung, allerdings nicht so burlesk und folgenlos wie im *Erec*. Keu wird verwundet und entführt; das herrenlose Pferd, das ritterliche Standes-Kennzeichen, meldet die Niederlage: Das „ledige Pferd" wird mehr und mehr zum requisitenhaften Zeichen für das ständige Versagen von Keu.

In allen folgenden Romanpartien tritt Keu fast bedeutungslos in den Hintergrund; die eigentlichen Roman-Helden ziehen die Aktion an sich: In verschlungener Parallelführung der Handlung ziehen Lancelot und Gauvain zur Befreiung der Königin aus; der Entführer Meléagant erscheint als der eigentliche Gegenspieler. Chrétien streut aber immer wieder, wesentlich häufiger als im *Erec*, Keu-Szenen ein: an sich funktionslose Auftritte, aber Chrétien führt bereits sorgfältig die sich entwickelnden Kontraste zu den Roman-Protagonisten aus. Diese Kontraste sind durchweg komisch angelegt mit der Absicht, Keu abzuwerten. Einige Beispiele: Der gescheiterte Keu vergleicht sich positiv mit dem Befreier der Königin, mit Lancelot, den er sogar tröstet (4007 ff.). Er wird eines Liebesabenteuers, kurioserweise mit der Königin, verdächtigt, wobei der wahre Liebhaber (Lancelot) ihn verteidigen muß! Das Verhältnis zu Lancelot ist übrigens erstaunlicherweise ziemlich „freundlich": Keu ist z. B. dankbar[10], zeigt Spuren von Anteilnahme an Lancelot und stellt seinen Rat zur Verfügung. Entscheidend für die Keu-Darstellung des *Lancelot*-Romans ist, daß eine „Feindschaft zum Romanhelden", konstitutiv für alle späteren Artusromane und schon im *Erec* vorgeprägt, hier noch nicht besteht. Die unklare Beziehung von Keu und dem Romanheld bedeutet, übersieht man die Entwicklung der Artusromane, einen „Rückschritt": Die so folgenreiche P o - l a r i s i e r u n g von „Held" und Keie-Figur, d. h. der Konflikt innerhalb der Artus-Gesellschaft selbst, ist hier noch nicht entwickelt. Die Rolle des „Herausforderers" fällt noch nicht Keu zu, sondern ein „Fremder", ein artus-fremder Ritter (Meléagant) hat sie übernommen: Dieser drängt den Spielraum der Keu-Figur wieder in den Artus-Kreis herein; darüber

---

[10] Vgl. a. Keus Dankbarkeit gegenüber dem Vater von Meléagant, v. 4081.

hinaus hat Meléagant selber einen Teil der Rolle Keus okkupiert mit seinem unhöfischen, aggressiven Verhalten. Der Kampf Keus findet also, vergleicht man ihn mit dem später herausgebildeten Typ, gegen den „falschen" Gegner statt.

Den nicht minder wichtigen Kontrast zu Gauvain hat Chrétien dagegen mit einigen kleinen, aber konsequenten Zügen ausgeführt: Weil Gauvain zu Beginn nicht am Hof ist, kann Keu die Initiative an sich reißen — was später Gauvain dem König gegenüber kritisiert (226 ff.). Eine Parallelhandlung zur gescheiterten Aktion Keus entwickelt sich wie im ersten Artusroman Chrétiens: Gauvain übernimmt nach Keu die Befreiung der Königin, d. h. die Wiederherstellung der *êre* des Artushofes, und bringt sie schließlich auch (wenn auch Lancelot sie befreite) an den Hof zurück — ironischerweise zusammen mit dem bedeutungslosen Keu, der als Maulheld entlarvt ist.

Die Diskrepanz ist groß, von anfänglich wichtiger Außenseiter-Rolle Keus, von seiner Aktion, die die Romanhandlung in Gang setzt, zu seinen funktionslosen, nur die Komik anheizenden Randauftritten im weiteren Romanverlauf. Die zu Romanbeginn voll entfaltete „Keu-Handlung" versickert also wieder. Der Grund dafür ist einmal der, daß der Artushof selber, zu dem Keu ja unverrückbar gehört, in der Romanhandlung zurücktritt; die Lancelot-Königin-Ehebruchsgeschichte spielt — vielleicht absichtlich — innerlich und äußerlich fern vom Artushof und seiner Atmosphäre.[11] Die Uneinheitlichkeit der Keu-Gestaltung ist aber spezifisch darin begründet, wie bereits ausgeführt, daß die entscheidende Kontrast-Beziehung von Romanheld und Keu noch nicht erfaßt ist. Chrétien experimentiert an der Keu-Gestalt: Die Mobilität der einzelnen Charakterzüge (z. B. Mitleid, Dankbarkeit) ist auffällig. Eine Keu-„Konzeption" Chrétiens ist in seinem zweiten Artusroman noch nicht sichtbar.

Yvain

Der Anfang des *Yvain*, den Chrétien vielleicht nur wenig später als den *Lancelot*-Roman geschrieben hat[12], gleicht im Typ dem der früheren Romane: Chrétien beginnt immer mit der Schilderung des Artus-Hofes, dem Ausgangs- und Endpunkt aller Abenteuer. Während aber in den beiden ersten Werken sich sogleich das Bild unter der Drohung fremder Heraus-

---

11 Vgl. RUH, K., Höf. Epik d. dt. Mittelalters, Bd. I, Berlin 1967, S. 140.
12 Entstehung wohl zur Zeit des *Lancelot*, vgl. RUH, K., S. 97.

forderer verdüsterte, entwirft der Autor diesmal die festliche Szenerie einer heiteren, in geselligem Gespräch sich ergehenden Hofgesellschaft, deren Harmonie dominiert, auch wenn im Gespräch bereits erste Spannungen aufkommen; die „höfische Gesellschaft" wird als (literarisches) Ideal anvisiert. Der Kunstgriff Chrétiens aus dem *Lancelot*, die Keu-Figur sogleich ins Beziehungsgeflecht der Gesellschaft zu stellen und ihr damit die Möglichkeit zu eröffnen, sich zu exponieren und als Außenseiter zu isolieren, zeigt deutlich, daß Chrétien in der Typik der Keu-Figur bereits ihre mögliche Funktion erkannt hat. Methodisch baut er sie aus: Wie im *Lancelot* führt Keus Aktion zur Handlungsauslösung und -verwicklung. Der die Romanhandlung weitertreibende Konflikt tritt aber nun nicht mehr von außen herein, sondern entwickelt sich i n n e r h a l b der Artusgesellschaft selbst: Die Unterhaltung der Ritter wird härter und spöttischer; individuelles und gesellschafts-konformes Verhalten treten auseinander — ein Vorklang auf die Grundthematik des Artus-Romans.[13] Wieder einmal ist die *êre* das Generalthema; ein Prestigekampf entbrennt: Die erste Dame des Hofes, die Königin, tritt zu den Herren, der elegante chévalier Calogrenant begrüßt sie höfisch-zeremoniell als erster. Da fährt Keu auf, mit einem Schlag ist die höfische Atmosphäre zerstört: Eifersüchtig auf Calogrenants Gunst bei der Königin, überschüttet er diesen mit bissigem Spott: *tant estes vos de san vuidiez* (76) — [so sehr seid ihr bar allen Verstandes . . .]. Gegenüber dem jungen Yvain zeigt sich Keu ähnlich aggressiv, denn dieser will sich Ruhm und *êre* erobern — ein durchaus legitimer Wunsch —, indem er die Niederlage seines Verwandten Calogrenant in einem gefährlichen „Brunnen-Kampf" wettmachen und rächen will. Keu, „der nicht schweigen konnte" (591), wirft sich zum unerbetenen Kritiker auf und tadelt Yvain sofort als voreilig und unüberlegt. Keu ist aber nicht so ganz der „kläffende Köter" (646), mit dem ihn Yvain lachend abtun will. Der Seneschall des Königs hat vom Standpunkt des Artushofes so unrecht nicht [14], Hast und Ehrgeiz des jungen Artusritters zu kritisieren, der der Gemeinschaft der Tafelrunde den repräsentativen, sie a l l e mit Glanz überstrahlenden Sieg im „Brunnenkampf" heimlich, auf persönlichen Ruhm bedacht, entreißen will.

Chrétien hat die Bosheit und Kritiksucht Keus, die keimhaft bereits in den früheren Romanen sichtbar waren, hier so stark vertieft, daß sie zum Charakteristikum der Figur werden. Keu ist dem Stil des *Yvain*-Roma-

[13] Vgl. Köhler, E., a. a. O., S. 77—81.
[14] Vgl. die Kritik von Ruh, K., S. 144.

nes angepaßt: Er wird hier zum Typ des „ I n t r i g a n t e n ", in ihm wird die Perversion des „höfischen Ritters" zum „Höfling", die stets jeder feudalen Kultur droht, zur Anschauung gebracht. Die distanzierteren Waffen des Gesprächs treffen schärfer als jede Lanze; die plumpe Aufdringlichkeit im *Erec* war ungefährlich, diese böse Ironie, dieser kalte Hohn sind es nicht mehr: *mout fut ranposneus ... poignanz et afiteus* (69) — [zanksüchtig, beißend, beleidigend].

Die Gesellschaft ist machtlos gegen Keus unverbesserliche Natur: „Der Mist muß stinken, die Bremse stechen, die Hummel lärmen, so muß Keu schimpfen" (116). Auch die Königin betont scheinbar gleichmütig Keus Gewohnheit *de dire mal* (134), aber ihr plötzlicher, fast unhöfischer Zornausbruch: *Deable! Estes vos forzenez!"* (612) — [... heftig, toll] — zeigt doch die Wirkung, vielleicht sogar die gewisse Berechtigung der Kritik von Keu. Eine allgemeine Verurteilung weist der Seneschall selbstsicher zurück:

> *Je ne cuit avoir chose dite*
> *qui me doie estre a mal escrite* (95)
> [Ich glaube nichts gesagt zu haben,
> was man mir schlecht auslegen könnte]

Keu besitzt im *Yvain* eine wesentlich stärkere Position als bisher. Chrétien hat mit Bedacht den Tölpel des *Erec* und den Ehrgeizling des *Lancelot* gesteigert zum verachteten, aber gefürchteten, unübersehbaren Seneschall. Seine Kritik bewirkt(endgültig) den heimlichen Aufbruch des Romanhelden Yvain ins „Brunnen-Abenteuer".

Chrétien hätte nun ohne weiteres wie im *Lancelot* eine Reihe von mehr oder weniger belanglosen Keu-Episoden folgen lassen können. Man ermißt die künstlerische Ökonomie im *Yvain* u. a. daraus, daß alle weitere Keu-Aktivität konzentriert ist in einer e i n z i g e n Szene, die mit der einleitenden „Hof-szene" in spiegelbildlicher Korrespondenz steht: der Kampf Keus im „Brunnen-Abenteuer", zu dem der Artus-Hof schließlich aufgebrochen ist.

Der Seneschall ist diesmal vom König autorisiert — anders als in den früheren Romanen —, die *ère* des Hofes gegen den fremden Ritter, den Besitzer des Brunnens, zu verteidigen. Ausdrücklich werden dem Seneschall Kampfgeist und Tapferkeit zugesprochen, womit sein bisheriges Auftreten im *Yvain* bestätigt wird:

> *Il voleit comancier toz jorz*
> *les batailles et les estorz* (2231)

[Er will jeden Wettstreit beginnen,
alle Schlachten und Kämpfe]

Keu kann es aber auch jetzt nicht lassen, Yvain wiederum zu schmähen,
wobei ihm diesmal Gauvain widerspricht (2209) — die einzige unmittel-
bare Konfrontation von Gauvain und Keu, durchaus in der Linie der
übrigen Romane. Keu spottet: ‚Yvain sei nicht da, der doch so eifrig gewesen sei!‘ (2178) Der Kontrast ist ironisch herausgearbeitet: Der heranpre-
schende fremde Ritter ist niemand anderes als Yvain selber, der inzwischen
erfolgreich das „Brunnen-Abenteuer" hinter sich gebracht hat und Besitzer von Brunnen und Land geworden ist.

Der rasche, triumphale Sieg Yvains über Keu erfüllt eine doppelte Funktion. Keu wird einerseits als Vertreter des Artushofes schmählich besiegt,
seine gesellschaftliche Stellung ist angeschlagen, andererseits rächt Yvain
die frühere Beleidigung: Der von Keu in seinem ritterlichen Wert Angezweifelte stellt sein Ansehen in öffentlichem Kampf wieder her.[15] Die
Werte-Welt des höfischen Rittertums ist wieder ins Gleichgewicht gebracht;
die innere Unterlegenheit Keus wird in dieser aristokratischen, (immer
noch) militanten Gesellschaft mit Hilfe der Waffen ausgedrückt und ge-
brandmarkt. Die ritterlich-höfische Gesellschaft ist mit ihren Normen der
Horizont, den Chrétien anvisiert [16]; für ein solches (erhofftes?) Publikum
schreibt er. Daher besitzt auch die „Gesellschaft" des Romans die Autorität, ein abschließendes Urteil über Keu zu fällen: Die Widersprüchlichkeit
seines Wesens wird betont; die bestrafte Anmaßung erntet Spott, der
Kampfgeist eine partielle Anerkennung. (2265 f.)

Die Kontur der Keu-Gestalt wird fester: Aus dem stark Zufälligen der
ersten Romane wird sie in die Entschiedenheit einer klaren A u ß e n s e i -
t e r p o s i t i o n gerückt. Die noch stärker „negative" Charakterisierung
muß diese Figur vom ethischen Normalmaß der Artus-Ritterschaft ent-
fernen. Die Außenseiter-Rolle verschafft Keu ein bisher ungeahntes Gewicht im Gesellschaftsgefüge des Artusromans: Nur so erklärt sich die
wichtige Funktion für die Romanhandlung. Die negative Beziehung zum
Romanhelden ist hier zum ersten Mal eindeutig und durchsichtig in
„Handlung" umgesetzt. Die „Hof-Szene" und der „Brunnenkampf" spiegeln einander gegenseitig: Anzweiflung und Bestätigung des gesellschaftlichen Ansehens, der *êre,* ist das gemeinsame Thema. Anmaßung und Be-

---

[15] Vgl. KÖHLER, E., a. a. O., S. 113.
[16] Chrétien als Apologet der höfischen Gesellschaft an den Höfen von Blois und
Flandern, ausführlich darüber KÖHLER, E., S. 44/45 (u. a.).

strafung Keus, im *Erec*-Roman noch in einer einzigen Szene konzentriert und zugleich isoliert, sind im *Yvain* bereits als Handlungsstrang in die Romanhandlung verflochten. Was im *Erec* und im *Lancelot* noch fragmentarisch blieb, ist hier gelungen: die Einbeziehung der Keu-Figur in die Grundthematik des „Artusromans", in die Auseinandersetzung vom (Einzel)-„Held" mit der (Artus-)„Gesellschaft".

Perceval

In seinem letzten, fragmentarisch gebliebenen Werk, in der *conte du graal* oder kurz: im *Perceval* [17], versucht Chrétien in drei Keu-Szenen endgültige Klarheit über diese Figur zu gewinnen. Er verleiht ihr ein noch schärferes Profil, eine noch wichtigere Handlungsposition als bisher. Umfang und Rang dieser Darstellung machen eine ausführliche Behandlung notwendig.

Die „ H o f - S z e n e " zu Beginn des Romans ist im Typ vertraut: Immer beginnt Chrétien damit, den Artushof und Keus Agieren eng zu verbinden. Man wird an den Anfang des *Lancelot* erinnert: Ein trauernder, passiver Artus, der von einem fremden Herausforderer („roter Ritter") beleidigt und bedroht worden war. Weil Artus, in sich versunken, nicht den jungen, unerfahrenen Perceval beachtet, macht sich der Seneschall Keu wieder einmal zum Wortführer, kann sich für einen Moment zum Herrn der Situation aufschwingen. Vielleicht eifersüchtig auf Percevals Kühnheit, den es in seiner Naivität nach den Waffen des „roten Ritters" verlangt, gerät Keu in Zorn und verspottet den gegen Ironie wehrlosen Perceval (1003 f.): Er wendet sich wie im *Yvain* gegen den, der sich vor der Gesellschaft hervortun will. Chrétien „erfindet" also nicht eigentlich „neue" Szenen, setzt sie vielmehr aus „alten", modellhaften Bestandteilen zusammen: Das Arsenal an Motiven ist begrenzt. Auch die ungewohnte, jetzt einsetzende Kritik des Königs an Keu war in der entsprechenden Kritik der Königin im *Yvain* vorgeprägt.

> trop dites volantiers enui,
> si ne vos chaut onques a cui (1009 f.)
> [Zu gerne sprecht Ihr Bosheiten aus,
> und kümmert Euch nie darum, wen sie treffen]

In seiner ich-bezogenen Begrenztheit ist Keu wie immer blind für die Erscheinung des Außerordentlichen: Er erkannte nicht Erec, unterschätzte

---

[17] Die *conte du Graal* entstand um 1181/88 im Auftrag Philipps von Flandern.

Meléagant und Yvain und spürt hier nicht die Ausstrahlung des seltsamen, fremden Knaben. Darum empfindet Keu auch das überschwengliche Lob eines Edelfräuleins und des weisen Hofnarren für Perceval als Beleidigung des Artushofes, die Bestrafung, selbstverständlich durch Keu, verdient: „Keu sprang auf und gab ihr einen so starken Schlag mit seiner flachen Hand in das zarte Gesicht, daß er sie zu Boden warf. Als er das Edelfräulein geschlagen hatte und zurückkehrte, stieß er auf einen Narren, der neben einem Kamin stand. Er stieß ihn mit dem Fuß in das brennende Feuer, aus Zorn und Wut, weil der Narr immer zu sagen pflegte: ‚Ha, diese Jungfrau wird nicht lachen, bis sie den gesehen hat, der den höchsten Preis allen Rittertums erlangen wird!‘ Da heulte der Narr und das Fräulein weinte" (1048—1063). Keus brutales Eingreifen löst diesmal nicht eine ritterliche Aktion aus, sondern einen Gesellschaftsskandal. Die Folgen reichen weit: Im Edelfräulein und im Narren trifft er Perceval mit, Perceval wird diese Beleidigung rächen. Keus Benehmen ist unverzeihlich: Gerade die Artus-Runde hatte es sich — als eine Art von ‚Ritterorden‘ [18] — zur Pflicht gemacht, den Schwachen und Schutzlosen zu helfen; dieser häßliche Schlag in das „zarte Gesicht" des Fräuleins höhnt ihre Prinzipien, verletzt ihre Idealität. Erneut sogar will Keu über den Narren herfallen, als sich dieser über Percevals Rache-Ankündigung freut: „ . . . diese Worte reizten Keu so sehr, daß er beinah vor Ärger und Zorn geplatzt wäre. Es fehlte wenig, daß er ihn vor aller Augen so zugerichtet hätte, daß er gestorben wäre. Um aber dem König nicht zu mißfallen, unterließ er es, ihn anzufallen" (1261—1281). Aber selbst in dieser für Keu so ungünstigen Szene, die sich in der Keu-Charakteristik folgerichtig an die früheren Romane anschließt, bemüht sich Chrétien noch um p o s i t i v e Züge: Eine vollständig negative Charakterisierung wäre mit Keus Hofstellung und seiner Unentbehrlichkeit für den König unvereinbar. Der Seneschall bekundet immer Respekt vor dem König; aus der Perspektive dessen, der sich verantwortlich fühlt für die Ordnung am Hof, schien das seltsame Auftreten Percevals und seine Wirkung auf die Hofgesellschaft tatsächlich die Würde und den zeremoniellen Ernst des Hofes zu bedrohen. Keus Selbstvertrauen als Seneschall ist auch nach diesem Skandal ungebrochen, wie es die folgende Szene zeigt.

Diesen zweiten Auftritt Keus kann man als „ P f i n g s t - S z e n e " bezeichnen (2793 ff.): Sie ist im Typ neu, ein Zeichen, daß Chrétien immer

---

[18] Vgl. Ruhs Hinweis auf die „table ronde" als Gottes-Symbol (S. 14) oder Köhler, E., a. a. O., S. 18.

noch an der Keu-Gestaltung weiterarbeitet. Hier gibt Chrétien sogar die in ihrer Zwielichtigkeit fesselndste Darstellung der Keu-Figur, deren Problematik ihn mehr und mehr gereizt haben muß. Vielleicht hatte er die Wirklichkeit vor Augen, am Hof der Marie de Champagne [19], so sehr vertieft er sich in die Einzelheiten:

> bien m'en ramembre,
> que l'estoire ensi le tesmoigne (2806 f.)
> [Gut erinnere ich mich,
> denn die Geschichte bezeugt es],

eine freilich an dieser Stelle unnötige Quellenberufung, die eher den Verdacht der Selbständigkeit Chrétiens hervorruft.[20] Die glänzende und doch zugleich unangenehme Erscheinung von Keu am Pfingstfest schildert Chrétien aus der Perspektive der Artus-Hofgesellschaft, deren Urteil sich das adelige Publikum Chrétiens zu eigen machen soll.

> E Keu parmi la sale vint,
> trestoz desafublez et tint
> an sa main destre un bastonet
> el chief un chapel de bonet
> don li chevol estoient blont
> N'ot plus bel chevalier el mont (2793 ff.)

[Und Keu kam durch den Saal geschritten, ganz ohne Mantel, und hielt in seiner rechten Hand einen Stab, auf dem Kopf trug er einen Stoffhut und sein Haar war blond.[21] Es gab keinen schöneren Ritter auf der Welt]. Chrétien entwirft ein Bild von ritterlicher Schönheit und höfischem Glanz, was er oft und gern tut; detailliert beschreibt er die pompöse Ausstattung. Diese bei der Keu-Figur bisher unbekannte, eingehende Beschreibung dient dem verstärkten Kontrast: Keus Schönheit verbindet sich mit seiner Bosheit zur schillernd-eleganten Erscheinung des intriganten Hofmannes, der er bereits im *Yvain* gewesen war. Der äußere Glanz, der die *felenies trop descovertes* (2814) nicht verdecken kann, steigert noch Furcht und Abscheu der Hofgesellschaft:

---

[19] Vgl. die auffallend bitteren, realistischen Bemerkungen über die ‚falschen Höflinge', *Cligès*, 4526/65.

[20] Wolframs Quellenbehandlung ist sicher nicht auf Chrétien übertragbar; ob das umrätselte „buoch" des Grafen von Flandern Fiktion ist (s. Prolog), bleibt ebenso unklar wie der Grad der Selbständigkeit Chrétiens von den „conteurs" der *matière de Bretagne*.

[21] Blondes Haar entsprach dem Zeitgeschmack, vgl. SCHULTZ, A., Das höf. Leben z. Zt. d. Minnesinger, Leipzig 1889.

Chascuns de sa voie s'esloigne
si come il vint parmi la sale
ses felons gas, sa langue male
redotent suit, si li font rote (2808 ff.)
[Jedermann geht ihm aus dem Wege,
sowie er durch den Saal kommt,
seinen gemeinen Spott und seine böse Zunge
fürchten alle, darum machen sie ihm Platz.]

Auf diesen ersten Teil der „Pfingst-Szene" folgt die dreifache, öffentliche, immer bedrohlichere Ankündigung der Rache Percevals an Keu (u. a. 4060 ff.) durch drei im Rang gesteigerte, von Perceval besiegte Ritter und Fürsten: Perceval, so erkennt man, kommt nur zum Artushof zurück, um an Keu Rache nehmen zu können. Diese Beziehung, die im *Yvain*-Roman noch ein Nebenzweck, ein erwünschter Zufall für den Helden war, gibt im *Perceval* der Keu-Figur die bisher größte Bedeutung. In geschicktem Rückblick erinnert Chrétien sein Publikum an die Affäre der „Hof-Szene": Den Narren, der sich über die Racheankündigung freut, hätte Keu wieder im Jähzorn beinah erschlagen (2872/4114). Die mehrfachen Motivaufnahmen und Ankündigungen bereiten auf die endgültige Abrechnung mit Keu vor: in der „ B l u t s t r o p f e n - S z e n e " (4144 ff.).[22]

An einem kalten, stillen Morgen sieht Perceval, „zufällig" in der Nähe des Jagdlagers des Königs Artus, drei Blutstropfen einer verwundet davonfliegenden Gans im frisch gefallenen Schnee. Wie jede Realität kann auch diese zum mittelalterlichen Symbol werden: Weiß und rot — die Farben beschwören Erinnerungen an seine geliebte Blancheflore, in denen Perceval versinkt. Einer der jungen Ritter, Sagremor der „Unbändige", der sich erst seine Sporen verdienen muß, will den Fremden vor den König bringen; durch seine Heftigkeit kommt es zum Kampf, rasch wird er von Perceval besiegt. Keu mischt sich jetzt im Lager voller Spott ein (4276), wird vom König getadelt und aufgefordert, es besser zu machen. Die stolze, hochmütige Antwort Keus, der sich seines Erfolges wieder einmal sicher ist, beruht auf seiner üblichen Fehleinschätzung eines unbekannten Gegners, zeigt zugleich aber auch seinen Kampfgeist. Der Seneschall kennt seinen Wert für den König, die Niederlage Sagremors will und muß er wettmachen: Die *êre* des Hofes steht wieder auf dem Spiel. Keu ist der autorisierte Vertreter des Hofes wie beim „Brunnenkampf" im *Yvain*. Zum zweiten Mal reitet ein Artusritter also hinaus gegen diesen sonder-

---

[22] Vgl. a. die Schilderung bei BEZZOLA, R., a. a. O., S. 26—38.

baren, noch immer reglos in den Schnee starrenden Unbekannten, ein größerer chévalier diesmal als Sagremor, doch ihm in seiner „Unbändigkeit"
verwandt. Ungeduldig, aggressiv schreit Keu schon von weitem den Fremden an, diskriminiert ihn von vornherein durch die Bezeichnung „Vasall":

Vassaus, vassaus, venez au roi . . . (4295)
[Vasall, Vasall, kommt zum König! . . .
Sofort kommt ihr hin, bei meiner Treu,
oder ihr bezahlt es teuer.]

Perceval wird rüde aus schönen Träumen gerissen: Der Kampf ist hart,
Keu hat seine ganze Kraft beim Aufprall eingesetzt, seine Lanze zersplit-
tert. Wie gewohnt stürzt er vom Pferd, verrenkt sich die Schulter, bricht
sich den Arm und wird ohnmächtig. Vom „ledigen Pferd" wiederum in-
formiert, glauben König und Hof, der Seneschall sei tot! — während
Perceval sich erneut seinen Blutstropfen zuwendet. Die nach wie vor zwiespältige Stellung Keus in der Gesellschaft macht Chrétien deutlich, indem
er auch wieder positive Akzente setzt: Die gesamte Hofgesellschaft klagt
um den, den sie so oft gefürchtet, getadelt, verspottet hatten. Besonders
der König,

qui molt l'avoit tendre
et molt l'amoit en son corage (4338)
[der ihn sehr gern hatte
und ihn schätzte wegen seines Mutes],

ist bestürzt und traurig. Die hier zum ersten Mal ausgedrückte Zuneigung
des Königs kontrastiert mit der heftigen, oftmaligen Kritik gerade des
Königs an Keu (z. B. 4114 oder 3880). Diese Kritik wird man als „Enttäuschung" interpretieren müssen, Enttäuschung über die ständigen Fehl-
tritte seines wichtigsten Beamten und vertrauten Beraters.

Keus Stellung in der Gesellschaft wäre nur unvollkommen gekennzeichnet,
wenn nicht auch, wie bisher in jedem Artus-Roman Chrétiens, eine direkte
Beziehung zwischen Keu und G a u v a i n hergestellt wäre. Man darf es
fast ein Gesetz nennen, zumindest bei Chrétien: Der Kontrast oder sogar
der Konflikt zwischen Keu und Gauvain gehört zum Typ des „Artus-
Romans"; hier wird das Kräfteverhältnis und der Rang i n n e r h a l b
der Artus-Gesellschaft artikuliert. Wie im *Erec* und im *Lancelot* tritt Gauvain bezeichnenderweise erst n a c h der Niederlage Keus in Aktion. Dem
besten Ritter des Hofes kommt es zu, die durch Keu erniedrigte *êre* des
Königs wieder herzustellen, aber nicht durch noch härteren Kampf (wozu
er wohl fähig wäre), sondern gerade umgekehrt: In gegenseitiger Achtung

und Verständniswilligkeit, auch mit taktischer Klugheit, gelingt es regelmäßig Gauvain, die jeweilige Auseinandersetzung höfisch-friedfertig und erfolgreich zu beenden. Gauvains Souveränität gelingt, woran Keu scheitert: Er überwindet in höfischem Gespräch den Fremden, der da in den Schnee starrt, weil er dessen (Liebes)-Sorgen in taktvoller Zurückhaltung zu verstehen glaubt:

> *Cist pansers n'estoit pas vilains*
> *einz estoit mout cortois et douz;*
> *et cil estoit fos et estouz,*
> *qui vostre cuer an removoit.* (4458 ff.)
> [Bäurisch war der Gedanke nicht,
> vielmehr sehr höfisch und anmutig;
> wahrlich, der wäre närrisch und dreist,
> der davon Euer Herz entfremden wollte.]

Der durch seine Verwundung doppelt gereizte Keu muß dieses Verhalten (Gauvains) in seiner Begrenztheit für ehrlos halten und verspottet daher Gauvain in bissiger, weit ausholender Kritik: . . . „Ihr werdet Euch sehr gut darauf verstehen, ihn [Perc.] mit Liebkosungen willfährig zu machen, wie man einer Katze schön tut und man wird sagen: ‚Jetzt ficht der Herr Gauvain gar gewaltig‘ " [23] (4398—4403). Gauvain erweist sich auch jetzt wieder als der Überlegene, entschieden und verbindlich zugleich gibt er zurück: „Ha, Herr Keu . . . das könntet Ihr mir artiger sagen. Gedenkt Ihr jetzt an mir Euren Zorn und Eure üble Laune zu rächen . . ., mein holder, teurer Freund" (4404—09). Dieser Streit ist nicht nur einer der mehr oder weniger zufällig vom Zaun gebrochenen Prestigekämpfe Keus. Eine grundsätzliche Auseinandersetzung über die ritterliche Ehrauffassung als zentralem Thema der höfischen Kultur steht dahinter und ist von Chrétien mit großer Bewußtheit in diese Figuren gelegt. Zwei Gleichrangige, Perceval und Gauvain, begegnen sich in der gleichen Haltung: *cortois et douz* — Keu ist diesen beiden gegenüber der Begrenzte, der Uneingeweihte. Der höheren Klugheit, dem Takt, der sensiblen Anpassung des wahrhaft „höfischen" Ritters ist die Haudegen-Manier und die konventionelle Borniertheit eines Keu nicht gewachsen. Hier wird ein symbolischer Sieg erfochten; diese Auseinandersetzung von Romanfiguren spiegelt aktuelle Probleme der Wirklichkeit. Keu repräsentiert mit seiner primitiveren *ère*-Auffassung, mit dem schematischen Freund-Feind-Denken den Typ des „konservativen" Ritters der früh-höfischen Zeit, der gerade

---

[23] Die Übersetzung wurde ausnahmsweise von BEZZOLA, R., S. 30, übernommen.

zur Zeit Chrétiens durch eine nicht zuletzt literarisch geformte höfische Kultiviertheit allmählich von den Höfen verdrängt wird.[24] Zwei historisch einander ablösende Vorstellungen vom Ritter und Rittertum stellt Chrétien gegeneinander: „Militantes" und „höfisches" Rittertum, was in der geschichtlichen Wirklichkeit selbstverständlich die verschiedensten Synthesen eingeht. Kein Zweifel, wo Chrétien selber steht, wenn er es zur alternativen Entscheidung kommen läßt. Er ist aber andererseits nicht zu harter Verurteilung des Keu-„Typs" gesonnen, in Gegensatz etwa zur Haltung seines deutschen „Schülers" Hartmann von Aue.

Chrétien scheint nach allem Experimentieren in dieser letzten Keu-Szene zu einer für ihn gültigen Sicht zu gelangen. Sein Keu-Bild konsolidiert sich in der Z w i e s p ä l t i g k e i t : Er schildert Keu mit seinen negativen Zügen, in seiner Begrenztheit und weist ihm einen Rang deutlich unter Gauvain und Perceval zu, aber er beläßt ihm auch eine gewisse Größe voll „männlicher" Tüchtigkeit — gegenüber der Feminisierung des Gefühlslebens der höfischen Kultur [25] — und gesteht ihm vor allem redliche Bemühung zu.[26] Am Ende aller seiner Keu-Darstellungen äußert sich Chrétien wohl nicht zufällig einmal direkt, in seiner unübertrefflich hintergründigen Weise dennoch verhalten und vorsichtig, Tiefe an der Oberfläche verbergend: Er zieht sich von seiner Keu-Figur, um die er sich so oft bemüht hat, voll ironischer Unentschiedenheit zurück:

Einsi dist Keu soit drois ou tors
sa volonte si come il suelt. (4532 f.)
[So sagte Keu seine Meinung, so wie er es verstand,
gewohnt war — zu Recht oder zu Unrecht ...]

Chrétiens Kunst, so zeigen es gerade auch die Keu-Szenen im *Perceval*, steht auf ihrem Höhepunkt: Er verweilt manchmal in anschaulich-sinnlichster Schilderung, z. B. während des Perceval-Kampfes, und bewältigt

---

24 Keus Irrtum gegenüber Perceval impliziert, daß das Verdammungsurteil „vilain" auf Keie zurückfällt; „vilain" (4458) als das zu überwindende Außerhöfische in der Ritterschaft selber.

25 Vgl. dazu HAUSER, A., Sozialgesch. d. mittelalterl. Kunst, Teilausg. Hamburg 1957, S. 84.

26 KÖHLERS Äußerung (S. 204) scheint diesen Rang von Keu zu bestätigen: „Keu ... wehrt sich in ohnmächtigem Trotz gegen das Schicksal, das mit Percevals Triumpf zugleich das Ende der glänzenden Artus-Ritterschaft bereithält", womit allerdings Köhler dem begrenzten Keu eine diesem unerreichbare Einsicht zutraut; hier scheint ein Versuch der geistesgeschichtlichen Interpretation vorzuliegen.

andererseits Übergangsszenen wie die Racheankündigungen Percevals mit der eleganten Straffheit zügigen Erzählens, die ihn besonders auszeichnet. Oft genügt ihm der Oberflächenglanz, wie es Keus Pfingstauftritt zeigen mag, und doch scheint dahinter auch künstlerischer *san* und menschliche Besonnenheit hindurch. Gerade diese letzte Keu-Szene Chrétiens zeigt die tiefgehende Reflexion und den Willen zu angemessener, nie vorschneller und einseitiger Beurteilung der Keu-Figur. Auch wenn Chrétien Keu als „Gestalt" sehr kritisch betrachtet, übersieht er doch nicht ihre nützliche „Funktion" für die Selbst-Auseinandersetzung und die Polarisierung innerhalb der höfischen Gesellschaft.

Vergleiche

Überblickt man die Geschichte der Keie-Figur in Chrétiens Artus-Romanen, so stehen am Anfang und am Ende zwei in ihrer Anlage sehr ähnliche Szenen. Der „Zweikampf" mit Erec ist als eine Art „Vorskizze" zum „Blutstropfen"-Kampf mit Perceval zu betrachten [27]: beidesmal der Kampf im Wald, unweit vom königlichen Jagdlager, die Aggressivität und Verständnislosigkeit Keus und seine schnelle Niederlage, deren Nachricht das „ledige Pferd" überbringt. Aber in gleicher Grundsituation fallen die Unterschiede besonders auf: Symbolisch bereits ist die Atmosphäre verändert; dort ein heiterer Nachmittag im Frühlingswald, hier ein kalter Morgen im Schnee. Was im *Erec* eine zufällig entstandene, durch Tölpelhaftigkeit leichtsinnig provozierte, mit lächerlichem Sturz beendete „komische Einlage" war, das wird im *Perceval* ein von langer Hand vorbereiteter, oft angekündigter, ernster Prestige- und Rache-Kampf.

Wie lassen sich im Hinblick auf diese Grundsituation der Keie-Szene die beiden „mittleren" Romane *Lancelot* und *Yvain* einordnen? Im *Lancelot* ist zwar schon — aus rudimentären Ansätzen im *Erec* (1095 ff.) — die „Hofszene" voll entwickelt, aber die entscheidende „Feindschaft zum Helden" noch nicht vorhanden. Im *Yvain* dagegen ist bereits durch die „Hofszene" die „Feindschaft zum Helden" — durch neue, negative Eigenschaften Keus verstärkt — entstanden und voll für die Straffung und symbolische Vertiefung der Romanhandlung eingesetzt. Die „Kampf-szene" nimmt in Sinn und Struktur des *Yvain* bereits die gleiche Stelle ein wie im *Perceval* (vgl. Kap. V). Man darf von „Fortschritt" der Keu-Gestaltungen

---

[27] SPARNAAY, H., Hartmann von Aue, Halle 1933, S. 92: „Die Episoden sind im Grunde wohl identisch und weisen auf eine ältere Erzählung zurück."

Chrétiens sprechen: Sie bauen folgerichtig aufeinander auf. Der chronologischen Folge entspricht, was nicht selbstverständlich ist, auch ein S u b - s t a n z g e w i n n . Nach einem noch undeutlichen Beginn experimentiert der Autor zusehends interessierter an der Keu-Gestaltung. Zug um Zug wird die Figur in jedem folgenden Roman bereichert, in ihrer Problematik vertieft, in klarerer Kontur aufgebaut.

Am Anfang dieser Entwicklung stand vielleicht ein produktiver Einfall Chrétiens: die visuelle Vorstellung von einer burlesken Kampfes-parodie von Keu und Erec.[28] Diese Szene wird zur Keimzelle aller Keie-Auftritte, nicht nur bei Chrétien. Aus der unpersönlichen, bedeutungslosen Randfigur im *Erec* steigert sie Chrétien schließlich zur schillernd lebendigen, machtvollen Seneschall-"Persönlichkeit" der *Perceval*-Szenen und rückt sie immer stärker ans Romanzentrum heran.

Chrétien experimentiert an der Keu-Gestalt, aber so, daß eine profilierte Vorstellung sich herausschält: Streitsucht, Brutalität und Bosheit, die in ihrem Ansatz schon im *Erec* erkennbar sind, erfahren ebenso wie andererseits Tapferkeit und Selbstsicherheit eine konsequente V e r s t ä r k u n g , so daß sich die innere Gegensätzlichkeit und Zwielichtigkeit der Figur vertieft. Besondere „positive" Züge, wie Ehrlichkeit (*Erec*) oder Mitleid, Dankbarkeit (*Lancelot*) werden aus dem Mosaik des Charakterbildes wieder ausgeschieden, so daß das Negative an Keu sich im Ganzen verstärkt. Daß Keu „das Wesen des Bösen"[29] vertritt, wie H. Emmel meint, ist allerdings eine extreme, das Vorgehen Chrétiens in diesem Punkt nicht erfassende Feststellung.

Die Keu-Gestalt des *Perceval* ist also das Endstadium einer Entwicklung. Sie ist gleichsam „zusammengesetzt" aus den früheren Romanen, nicht mechanisch, sondern mit der Tendenz zur Zusammenfassung und Steigerung. Die große und zusammenhängende Entwicklung vom ersten bis zum vierten Artus-Roman beweist, daß Chrétien selbst an der Gestaltung von Randfiguren intensiv weitergearbeitet hat. Die Keu-Figur wird erst im *Perceval* zum Repräsentant eines zu überwindenden, gleichsam „frühhöfischen"[30] Begriffs von Rittertum. Das integriert diese Figur in das

---

[28] Vgl. EMMEL, H., a. a. O., S. 13.
[29] Ebd., S. 106.
[30] Dieser Begriff verstanden nicht im Sinne literaturgeschichtlicher Periodisierung, sondern als Hinweis auf den Aspekt der Selbsterziehung in der Entwicklung zur ‚höfischen Gesellschaft', vgl. Kap. V.

Gedankengeflecht des *Perceval*, denn hier wird versucht, die ritterlich-höfische Gesellschaft in ihrem Wertgefüge zu artikulieren. Diesem Zusammenhang dient immer stärker das kontrastierende, hintereinandergeschaltete Auftreten mit G a u v a i n, wieder am bewußtesten im letzten Roman. Keu wird neben Gauvain zur repräsentativen Gestalt am Artushof, im Umkreis von König und Königin, „die ständige Repräsentanz des Artushofes".[31] Der Konflikt des jeweiligen Romanhelden mit Keu, d. h. mit einem maßgeblichen Vertreter des Artus-Kreises, wird zum konstitutiven Element des „Artus-Romans". Herausforderung, Besiegung und Bestrafung Keus werden zu unverzichtbaren Riten auch aller folgenden Artus-Romane.

---

[31] RUH, K., a. a. O., S. 99.

II. Die Keie-Figur bei H a r t m a n n von Aue

Hartmann von Aue ist im staufischen Deutschland einer der frühesten und zugleich einer der bedeutendsten Epiker des „höfischen Romans". Er spielt im deutschen Bereich eine begründende Rolle wie Chrétien in der französischen Dichtung. Freilich erkennt Hartmann die Autorität des Franzosen an. Er benutzt Chrétiens Romane als wesentliche Vorlage und sieht seine Aufgabe darin, zu übersetzen, besser: das schon von Chrétien meisterhaft Geformte zu überarbeiten und interpretierend neu zu fassen.[1] Die Akzentverschiebungen und Erweiterungen sind zum Teil beträchtlich; den Umfang des *Erec* zum Beispiel vergrößert Hartmann um ein Drittel. Hartmann hält sich im schmalen Roman-Ausschnitt der Keie-Gestaltung dagegen eng an den Text Chrétiens. Gelegentliche Abweichungen von der Vorlage müssen bewußt, mit einer bestimmten Absicht erfolgt sein. Diese verräterischen Stellen verpflichten in methodischer Hinsicht, ihnen in der Interpretation besonderes Gewicht zu geben. Wie und warum verändert Hartmann die von Chrétien geschaffene Keie-Figur: Das ist die Grundfrage, die das Spezifische an Hartmanns Kunst erkennen läßt.[2]

E r e k

Was ist in Keies „Kampfszene" mit Erek verändert? „Keiî" besteigt wiederum *durch baneken* (4629 23), um sich zu tummeln, sich ein wenig Bewegung zu verschaffen, das Roß Gaweins, aber im Unterschied zu Chrétien heißt es sogleich: *her Walwan erloubete daz* (4629 24), eine Gunst, die der vornehmste Ritter und Neffe des Königs bestimmt nicht einem jeden zu Teil werden läßt. Erklärlich erscheint damit die frühere, ebenfalls neue Kennzeichnung Keies als Gaweins *vriunt* (1152), als beide Hand in Hand vors Tor gingen, um die Ankunft des Fremden (Ider) zu beobachten. Diese beträchtliche Aufbesserung der Stellung Keies hindert Hartmann aber nicht daran, sogleich auch zu betonen *Keiî in siner valscheit* (4629 38). Diese apodiktische, sicher überlegte Äußerung des Autors ohne alle begründende Darstellung ist erstaunlich. Schon hier, zu Beginn der Handlung, werden Akzente gesetzt: Hartmann vertieft gegenüber Chrétien die

---

[1] Über Hartmanns Übertragungstendenz z. B. eingehend RUH, K., a. a. O., 107 f.
[2] Chrétien und Hartmann sind öfters miteinander verglichen worden, allerdings kaum in bezug auf Keie, vgl. WITTE, A., Hartmann von Aue und Kristian von Troyes, PBB 53 (1929), S. 102.

Widersprüchlichkeit der Keie-Figur, mischt großes Licht mit großem Schatten. Hartmann setzt darüberhinaus zwei neue „negative" Züge ins Charakter-Mosaik ein. Die dem verwundeten Erek gegenüber zur Schau getragene Überlegenheit Keies unterhöhlt Hartmann mit hintergründigen Worten: *er entorst in anders niht bestan* (4629 [41]). Auf die Empörung Ereks hin wechselt Keie denn auch sofort den Ton, fällt aus der „beamten"-barschen Redeweise in schmeichlerische Höflichkeit: Er lädt Erek ein, sich am Artushof von seinen Wunden zu erholen (4629 [50]). Eine tiefe Zwiespältigkeit in Keie enthüllt Hartmann, wenn er in starkem Gegensatz zu Chrétien diese Einladung als heimtückische Heuchelei hinstellt:

hete er in ze hove braht . . .
daz er danne wolde sagen,
ér hete im die wunden geslagen
und er solde gevangen sin (4629 [57] ff.)

Ruhmsucht und Bosheit Keies sind Züge, die er im *Erec* Chrétiens nicht besitzt. Aus welchem Werk kann Hartmann sie entnommen haben? [3]

Um die eklatanten Widersprüche der Keie-Gestalt, z. B. die Freundschaft zu Gawein, die Falschheit gegen Erek, zu rechtfertigen, sieht sich der auf Klärung bedachte Hartmann zu einem längeren E x k u r s von 31 Versen genötigt, für den Chrétien wiederum keinen Anlaß sah. Hartmann scheint an Keie intensiver interessiert zu sein als es Chrétien im *Erec* war:

dar an wart vollecliche schin
daz diu werlt nie gewan
decheinen seltsaenern man.
sin herze was gevieret.
eteswenne gezieret
mit vil grozen triuwen
und daz in begunde riuwen
allez daz er unz her ie
zunrehte begie,
also daz er vor valsche was
luter sam ein spiegelglas
und daz er sich huote
mit werken und mit muote
daz er immer missetaete.
des was er u n s t a e t e , [Sperrung vom Verfasser]

---

[3] Gerade bei einer so festgelegten Figur wie Keie wird der „Buchgelehrte" Hartmann kaum frei erfindend vorgegangen sein, vgl. Kap. IV.

> wan dar nach kam im der tac
> daz er decheiner triuwen enphlac.
> so enwolde in niht genüegen,
> swaz er valsches gevüegen
> mit allem vlize kunde
> mit werken und mit munde:
> daz riet elliu sin gêr.
> dar zuo so was er
> küene an etelichem tage,
> dar nach ein werltzage.
> diz waren zwene twerhe site:
> da swachete er sich mite,
> daz er den liuten allen
> muoste missevallen
> und niemen was ze guote erkant.
> von sinem valsche er was genant
> Keiîn der kâtspreche. (4633 ff.)

Hartmann deutet psychologisch, allerdings auf eine mittelalterlich-ratio-
nale Weise: *sin herze was gevieret* (4636), Keies Wesen ist gespalten: Treue,
Tapferkeit, Reue auf der einen Seite, aber *darnach kam im der tac* — sogleich auch der unkontrollierte Umschlag in Falschheit, Feigheit, Bosheit.
In der Mitte dieser kleinen Charakterstudie bezeichnet *unstaete* (4647)
entscheidend das Wesen Keies; das unbeständige Schwanken zwischen
zwene twerche site (4658) bedeutet zweierlei: Inkonsequenz und Unzuver-
lässigkeit erschüttern seine gesellschaftliche Position — *da swachete er sich
mite* (4659). Darüberhinaus ist der moralische Defekt gemeint, *unstaete*
als Negierung des ritterlichen Sittlichkeitsideals; *gêr* (4654), Keies Neid
und falscher Ehrgeiz, verletzt die *mâze*-Forderung. Keies Falschheit macht,
wie es zu Beginn der Szene und jetzt abschließend wieder heißt, ihn zu
einem böswilligen Verleumder, zum *kâtspreche*.[4] Der *seltsaene man* weckt
Hartmanns psychologisches Interesse und veranlaßt ihn zu fast subtiler
Überlegung: Selbst Keies Selbstbewußtsein ist „gespalten" Wird seine
Widersprüchlichkeit ihm zuweilen selber bewußt, so sind Unsicherheit,
Verwirrung und Reue die Folgen (vgl. 4639). Aus dem unstillbaren Ver-
langen nach Bestätigung (*êre*) forciert er alles, macht sich „stark" (bei
Ereks Begrüßung), bricht aber in Jämmerlichkeit zusammen, wenn er be-
siegt und durchschaut wird:

---

4 *Kât-spreche:* der übel spricht, hängt mit kât, kôt, quât, d. i. Koth zusammen,
vgl. BENECKE, MÜLLER, ZARNCKE, Mittelhochdt. Wörterbuch.

den tiuvel ich mir selben weiz,
daz ich mir nicht senfte kunde leben:
nach laster begund ich streben (4791 ff.)

Maßlose Selbstüberschätzung: *ich weiz wol . . ./ daz ich harte vrum bin*
(4694 f.), und tiefe Zerknirschung mischen sich *seltsaene: mich hat uf solche*
schande/hie braht min zageheit (4763 f.).

Die heuchlerische Begrüßung Ereks ist ein Musterbeispiel für die psychologische und sprachlich-künstlerische Feingestaltung, um die sich Hartmann
gerade bei der Keie-Figur bemüht. Als Erek ablehnt, droht der *valsche*
Keiin (4678): *ich bringe iuch ze huse/ dem künege Artuse/ zeware — oder*
ich enmac (4682): Ich schaffe es nicht! — ein hellsichtiges Eingeständnis
seiner Unzulänglichkeit. Erek wird erregter: *ich waene ir enmeget . ./ ir*
müezet mich es twingen (4687), darauf Keie wieder: *. . ichs twinge iuchs —*
güetlichen (4700). Der besten Kunst Hartmanns gelingt es so, Spannung
und Widersprüchlichkeit in Keie nach außen treten zu lassen im Medium
der Sprache. Die gesellschaftliche Position Keies ist stärker als bei Chrétien in Mitleidenschaft gezogen: Der *arge zage* (4710) ergreift die Flucht,
was der Keu Chrétiens nie tut.[5] Die lächerliche Niederlage, mit dem Speer-
schaft vom Pferd gestoßen zu werden, malen die Worte Hartmanns fast
genießerisch aus:

daz Keiin rehte sam ein sac
under dem rosse gelac. (4730 f.)

Der *schalchafte man* (d. h. böse und lächerlich zugleich) läuft hinter dem
spöttisch lachenden Sieger Erek hinterdrein und bettelt vor Angst, für immer *geswachet und gehoenet* (ze) *sin* (4742), um das von Gawein geliehene
Pferd. Erek richtet den Besiegten moralisch auf, macht dadurch die Unterlegenheit Keies erst recht deutlich: *du endarft dich niht so sere schamen*
(4753). In allen Äußerungen wird der Gesellschaftsaspekt betont. Bei Hof
ist Keie nicht ganz ehrlich — negativer als bei Chrétien: Er versteht es,
sich in ein einigermaßen günstiges Licht zu stellen, untadeliger Schein geht
ihm vor innerer Integrität:

[K.] . . . gap dem schaden solhen gelimpf,
daz man gar vür einen schimpf
sine schande vervie
und man sin ungespottet lie. (4842 ff.)

---

[5] ‚Feigheit‘ ist ein starker Eingriff in die Tradition des Keie-Bildes; die greifbaren Quellen vor Hartmann sprechen nur von Keies Tapferkeit, vgl. Kap. IV.

Keie wird völlig unverdient vom König sogar gelobt und neben Gawein, den ersten Ritter des Hofes, gestellt:

> *Gawein, daz tuon ich*
> *an Keiin und an dich.*
> *ir habet mich unz an disen tac*
> *so geret daz ich niene mac*
> *iu gesprechen wan guot.* (4864 ff.)

Dieses Lob wirkt im Anschluß an die schmähliche Niederlage unglaubwürdig für einen heutigen Leser. An Ironie des Autors für diese königliche Fehleinschätzung Keies mag man nicht denken: Niemals tastet Hartmann — im Unterschied etwa zu Wolfram — in seinen Dichtungen das ideale Bild des „hehren" Königs an, wie er es programmatisch z. B. im *Iwein*-Prolog entworfen hat. Die Diskrepanz scheint vielmehr mit der künstlerischen Art Hartmanns zusammenzuhängen: Das „gespaltene" Charakter-Bild des „Exkurses" wird direkt und rational in Romanhandlung umgesetzt; die Konzeption, gleichsam die „Idee" von Keie bestimmt die Darstellungspraxis im Roman: Von Keie muß eben auch Positives gezeigt werden, getreu der „symmetrischen" Charakterisierung. Es mag dies eine Eigentümlichkeit, eine gewisse Pedanterie des Künstlers Hartmann sein, vielleicht in einem etwas schematisch-abstrakten Denken beruhen.[6] Aber über alles Individual-Psychologische hinausgehend ist es ein generelles Kennzeichen mittelalterlicher Kunst, sich um eventuelle Widersprüche in der Psychologie der Figuren oder im Romanverlauf nicht sehr zu kümmern.[7] Realismus und Wahrscheinlichkeit sind noch keine künstlerischen Ziele, „Mimesis" noch kein Problem wie in der neuzeitlichen Literatur.

I w e i n

Hartmann hält sich bei der Übertragung des *Yvain*, Anfang des 13. Jahrhunderts unternommen[8], im allgemeinen enger an die Vorlage als bei der *Erek*-Übertragung[9]: Umso mehr muß man sich daher bei seiner Keie-Darstellung wiederum auf die Unterschiede zu Chrétien konzentrieren. Von vornherein hebt Hartmann stärker noch als Chrétien die Beziehung

---

[6] Vgl. WAPNEWSKI, P., Hartmann von Aue, Slg. Metzler, Stuttg. 1962, S. 42.
[7] Vgl. über diesen Zusammenhang ausführlich Kap. III (Ende).
[8] Allgemein auf 1205, aber ohne Sicherheit, datiert, vgl. WAPNEWSKI, P., a. a. O., S. 21 f.
[9] Hartmann benutzt eine Chrétiens G-Handschrift nahestehende Version, vgl. CRAMER, TH., Iwein, Urtext und Übersetzung, Berlin 1968, S. 161.

Keies zur „Gesellschaft" hervor, ein Interesse, das schon die Keie-Darstellung im *Erek* bestimmt hatte. Alle Keie-Aktion ist, zumindest verdeckt, auf dieses Thema der *êre* bezogen.

Hartmann schildert in rascher Aufzählung zu Beginn des Romans das lebendig-gesellige Treiben am pfingstfrohen Artushof; alles ist in Tätigkeit, nur

Keii legt sich slafen
uf den sal under in (74 f.)

Hartmanns erstes Urteil betrifft charakteristischerweise Keies gesellschaftliches Verhalten, das in der dreifachen Auseinandersetzung Keies mit Kalogreant, der Königin und Iwein näher beleuchtet wird. Die Angegriffenen wehren sich erfolgreich, so daß umgekehrt Keies *êre* in Mitleidenschaft gezogen wird. Keie, neidisch auf die Gunst Kalogreants bei der Königin, *beruoft* (kritisiert) ihn:

do erzeicte aver Keii
sin alte gewonheit:
im was des mannes ere leit,
unde beruoft in drumbe sere
unde sprach im an sin ere (108 ff.)

Hartmann verstärkt wiederum gegenüber Chrétien den Ausfall Keies; hemmungslos greift Keie gleich viermal in unhöfischer Art an. Die Königin kennt Keie genau [10]; er erscheint ihr fast als Misanthrop, der alle Werte verkehrt:

daz du den iemer hazzen muost
deme dehein ere geschiht (140 f.)

Sie erkennt Keies wunden Punkt: seinen rücksichtslosen Ehrgeiz, der ihn fast zwanghaft beherrscht (*du . . . muost*). Keie wehrt sich in einer frechen Gegen-Kritik, kehrt ironisch den Vorwurf der Königin um, indem er ihn auf diese anwendet:

ir sprechet alze sere
den rittern an ir ere (167 f.)

Der massivste Angriff trifft den Romanhelden Iwein. Dessen Absicht, das „Brunnen-Abenteuer" zu bestehen, diffamiert Keie: *daz disiu rede nach ezzen ist* (816). Er beleidigt Iwein als Großmaul:

---

[10] Die Königin duzt Keie hier: eine Andeutung ihrer Vertrautheit und Keies enger Beziehung zum Königshof, vgl. Ehrismann, G., Duzen und Ihrzen i. MA., in: Z. f. dt. Wortforschg. 5, 1903/04, 140, zit. bei Cramer, Th., a. a. O., S. 175.

> *rat ich iu wol, so volget mir*
> *iu ist mit der rede ze gach:*
> *slaft ein lützel dernach* (826 ff.)

Die Ironie Hartmanns liegt darin, daß auf Keie selber zutrifft, was er anderen vorwirft — wie bei der Kritik der Königin. Keie ist unfähig, sich selber einzuschätzen: wie viel weniger andere!

Zum Befremden und Ergötzen der versammelten Hofgesellschaft mokiert sich Keie weitschweifig über: [Leute] . . . , *die also vil gesprechent / von ir selber getat* (24/4 f.), d. h. für Keie: sich unberechtigt *êre* verschaffen:

> *her Iwein ist niht wise:*
> *er möhte swigen als ich* (2502 f.)

Keies Selbstsicherheit scheint unerschütterlich; sie ist auch hier begründet in seiner umfassenden Begrenztheit, die über ihren dürftigen Horizont nicht hinauskommt. Diese Selbstgewißheit macht es möglich, daß er sich zum gestrengen Ordnungshüter und Zensor aufwerfen kann. Die vermeintliche Stärke wird aber von Hartmann [11] wie schon im *Erek* hintergründig als Schwäche entlarvt: gegenüber Gawein. Nahezu devot erscheint Keie, als Gawein dem Spott gegen Iwein widerspricht:

> *durch got ir sult die rede lan',*
> *her Keu sprach: ,daz si getan . . .'.* (2521 f.)

Prompt zieht sich Keie vor dem scharfen Tadel des Überlegenen zurück. Den schon konstitutiven Kontrast zwischen Gawein und Keie hatte Hartmann gleich zu Beginn des Romans — selbständig wiederum hier — her ausgearbeitet:

> *Gawein ahte uf wafen:*
> *Keii legt sich slafen* (73 f.)

Gawein ist für Hartmann die Verkörperung ritterlich-heroischer Tugend und strenger Pflichtethik, während Keie hier träge, ohne Waffenehrgeiz, *ze gemache, ân êre* (75) erscheint. Das ist ein weiterer negativer Eingriff in das von Chrétien sorgfältig aufgebaute Bild von Keu als einem ehrgeizig-kriegerischen Ritter.

Theorie und Praxis klaffen bei Keie auseinander [12], die Wirklichkeit höhnt den Anspruch, *wan iuwer [K. s] rede hat niht kraft* (212). Dieser Zwiespalt führt zum Verlust der *êre*, zur gesellschaftlichen Lächerlichkeit:

---

[11] Über Hartmanns Ironie gegenüber Keie vgl. CRAMER, TH., a. a. O., S. 200.
[12] Vgl. a. v. 2525 f.

39

> *diu rede duht si gemelich,*
> *daz er sich duhte also guot:*
> *wan also schalclichen muot*
> *gewan nie riter dehein* (2504 ff.)

schalclicher muot: Die Mischung von Bosheit und Lächerlichkeit ist ein Tiefpunkt der Beurteilung der Keie-Figur bei Hartmann und darüber hinaus im hoch-höfischen Artus-Roman: Keie im Konflikt mit Gawein, mit Iwein, isoliert zwischen König und Gesellschaft.

Man muß fragen, weshalb Keie überhaupt (noch) am Artus-Hof geduldet wird. Hartmann erkennt den Widerspruch und sieht sich zu einer Aufhellung [13] des verdunkelten Keie-Bildes genötigt, obwohl er weiß, daß er auf das Erstaunen seines Publikums stoßen wird:

> *ouch sag ich iu ein maere:*
> *swie schalchaft Keii waere,*
> *er was iedoch vil unervorht.*
> *enheten sin zunge niht verworht,*
> *sone gwan der hof nie tiurern helt.* (2565 ff.)

Zur Begründung dieses superlativischen (allerdings bedingten) Lobes führt Hartmann Keies nicht zu übergehende Stellung bei Hofe an, *sin ampt:*

> *daz mugent ir kiesen, ob ir welt,*
> *bi sinem ampte des er pflac:*
> *sin hete niht einen tac*
> *geruochet der künec Artus*
> *ze truhsaezen in sime hus* (2570 ff.)

Ein furchtloser Held, ein unentbehrlicher Truchseß: ‚Hätte ihn nur nicht sein Gerede (*zunge*) gesellschaftlich zu Grunde gerichtet!‘ (2568). Diese Diskrepanz versucht Hartmann wie in seinem ersten Roman p s y c h o - l o g i s c h zu erklären. Seine Deutung ist eine konsequente Fortsetzung des früheren „Charakter-Exkurses“. Der Konflikt von Selbstauffassung, im Wort (*zunge*), und Selbstdarstellung, in der Gesellschaft (*ére*), ist in Keies Wesen (*herze*) begründet: *zunge, ere, herz* werden zu aufeinander bezogenen Schlüsselworten [14]:

---

[13] Diese Aufwertung hat Chrétien an dieser Stelle nicht; für SPARNAAY, H., Hartmann von Aue, 2 Bde. 1933, 1938, S. 91, ist es beinah „die einzige [Stelle] in der mhd. Lit., die von Keie Lobendes zu berichten weiß“ — was aber zu bezweifeln ist (Kap. VII).
[14] *herz* z. B. vv. 195, 197, 201.

swen iuwer zunge uneret,
da ist daz herze schuldec an (196 f.)

Das analysierende, auf Kausalbezüge ausgehende Denken Hartmanns zerlegt die Körper-Einheit von Herz und Zunge-(Mund) in ein Innen und Außen. Dieses rationale Auseinanderfalten der Ganzheit des Menschen in einzelne lokalisierbare Eigenschaften ist ein oft geübtes [15], z. T. allegorisches Verfahren mittelalterlichen Denkens. Es charakterisiert Hartmann besonders. Schon *diu klage*, das erste kleine Werk des Autors, ist darauf aufgebaut: Auch hier werden Herz und Körper einander gegenübergestellt; die *zunge* Keies wäre als pars pro toto aufzufassen, stellvertretend für die körperliche Seite. In beiden Fällen wird von Hartmann die Herrschaft und Überlegenheit des Herzens behauptet. Die Überzeugung Hartmanns, im *Iwein* der Königin repräsentativ in den Mund gelegt (196, s. o.), klingt gleichfalls im *Gregorius*-Prolog an:

Min herze hat betwungen
dicke mine zungen . . . (1 f.)

Bei Keie bedeutet das Auseinanderfallen von „Herz" und „Zunge" die Gespaltenheit von innerem Wesen und äußerer Erscheinung. Das „Böse" in ihm ist so beherrschend, daß auch, wenn er vielleicht anders will, die Worte bösen Klang bekommen:

Iwer [K.] *zunge müez guneret sin,*
diu allez guot verdagt
und niuwan daz boeste sagt
daz iuwer herze erdenken kan.
doch waen ich dar an
der zungen unrehte tuo.
iwer herze twinget si derzuo. (838 ff.)

Die rational-psychologische Charakter-Erörterung dient Hartmann nur dazu, das m o r a l i s c h e Versagen hervorzuheben: Psychologie um ihrer selbst willen ist (noch) nicht gefragt. Die psychische Gespaltenheit stellt sich dar als ein beständiger Kampf von „Gut" und „Böse" in Keie:

(wan) in der werlde ist manec man [Keie]
valsch und wandelbaere,
der gerne biderbe waere,
wan daz in sin herze enlat. (198 ff.)

---

[15] Ein Topos, vgl. Parallelstellen bei Fr. v. Hausen und Wolfram, zit. bei CRAMER, TH., a. a. O., 202.

41

Das Schwanken zwischen *valsch* und *biderbe* [rechtschaffen, tüchtig] äußert sich sprachlich im Konjunktiv *waere,* aber schließlich entscheidet wieder das „böse Herz" diesen Kampf in Keie.

Aufschlußreich für Hartmanns moralistische Sicht ist der synonyme Wortgebrauch von *valsch* u n d *wandelbaere:* Das Veränderhaft-Schwankende schon, die „Gespaltenheit" Keies, muß zum Bösen führen. Diese Überzeugung entspricht damit genau der Deutung der *unstaete* Keies aus Hartmanns erstem Roman (*Erek,* 4647).

Hartmann urteilt weder so zurückhaltend, hinter das Erzählte zurücktretend wie Chrétien noch so neutral wie Wolfram, der in der „Gespaltenheit" (z. B. des religiösen *zwîfels*), eben auch den positiven Teil betont: *wande an im sint beidiu teil/ des himils und der helle (Parzival,* 8 f.). Wie in der Verurteilung Keies zeigt sich Hartmann auch in dieser (religiösen) Frage als der rigoros moralischere und orthodoxere: *daz er den zwifel laze/ der manigen versenket (Gregorius,* 64).

Der Moralist verinnerlicht das Keie-Problem. Aus der „herze"-Verinnerung, der religiösen Tiefendimension heraus schafft das rational-dialektische Denken Hartmanns wiederum eine enge Verbindung zur Außenseite: Keies *herz* gefährdet seine *êre:*

> *da din herze inne swebt*
> *und wider dinen eren strebt* (157 f.)

Dem *zuchtlosen* (90) Keie, der sich ehrvergessen inmitten der tätig-geselligen Hofgesellschaft schlafen legte (s. o.), mangelt die entscheidende ethische Qualität des „höfischen Ritters": *mâze* und *zuht,* die nur mit *arebeit* im Sinne Gaweins, nicht mit Keies *gemache* (76) zu erwerben ist. Die gesellschaftlich-äußerliche Anerkennung muß, das betont Hartmann immer wieder, auf innerer, sittlicher Berechtigung beruhen: Das Thema aller seiner Werke wird in der Keie-Nebenhandlung hintergründig durchgespielt.

Alle Verurteilung Keies ändert aber nichts daran, daß er selbst noch in seiner Lächerlichkeit eine F u n k t i o n besitzt. Auch im späteren Kampf gegen Iwein (vgl. Chrétien, s. o.) bleibt die *êre* das Hauptmotiv:

> *wan ich* [K.] *eim ieglichen man*
> *siner eren wol gan* (2491)

Bei aller Selbstverblendung weist dieses großspurige Wort doch auf eine eminent wichtige Funktion Keies: Sogar ein Keie muß die *êre* eines Mitgliedes der Artus-Tafelrunde anerkannt haben. Sein Ansehen von jedermann, auch von Keie, bestätigt zu wissen, ist für das ängstlich auf die „Gesellschaft" bezogene Denken des „höfischen" Ritters nicht weniger wichtig als z. B. in einem ritterlichen Kampf diese *êre* erst zu erwerben. Iweins Sorge vor Keie weist auf diesen Zusammenhang:

> *und waz im sin arebeit töhte,*
> *so er mit niemen enmöhte*
> *erziugen dise geschiht . . .*
> *so spraecher* [K.] *im an sin ere.* (1067 ff.)

Keie rückt auf diese Weise gegenüber Iwein unversehens in eine Schlüsselposition: Keie bestätigt als letzter der Artusritter die *êre*. Deshalb muß Iwein das zunächst freigewählte Abenteuer bestehen, um vor Keies Zweifel sicher zu sein. Jede ritterliche Tat hat ihren Öffentlichkeits-Aspekt, selbst wenn sie im finsteren Wald von Breziljan geschieht (vgl. 263).

Iweins „Rechtfertigungs"-Kampf gegen den Intimfeind und zugleich den offiziellen Vertreter der Artus-Ritterschaft, gegen Keie, wird auf das *êre*-Problem bezogen; beide Kontrahenten versuchen die *unêre* des anderen zu erweisen:

> *ir ietweder gedahte sere*
> *uf des andern unere* (2577 f.)

Keie kämpft tapfer: *diu tjost wart guot unde rich* (2580), verliert aber rasch:

> *da mite wart ouch er gesant*
> *uz dem satele ‚als ein sac',*
> *daz ern weste wa er lac.* (2584 ff.)

Das publikumswirksame Selbstzitat vom Kampf mit Erek bezieht diese Keie-Darstellung auf die des ersten Artus-Romans Hartmanns, bleibt aber sonst eng an Text und Sinn Chrétiens.

In einer isolierten Episode fügt Hartmann, über seine Vorlage hinausgehend, in den *Iwein* die „Königin-E n t f ü h r u n g s s z e n e ", ein [16]. Sie kann die Deutung der Keie-Darstellung Hartmanns bestätigen. Alle bereits bekannten Züge und Motive sind in diesem scheiternden Befreiungskampf für die entführte Königin zumindest skizzenhaft angelegt, als *topoi* werden die Keie-Details durchgespielt. Seine unangefochtene Stellung und seine Treue zum König begründen sein Selbstbewußtsein:

---

[16] Die Quelle ist nicht Chrétiens *Lancelot,* vgl. ROSENHAGEN, G., Festschr. f. Sievers, S. 231 f.

ich bin truchsaeze hie ze hus,
unde ez hat der künec Artus
verschuldet umbe mich wol
daz ich gerne ledegen sol
mine vrouwen, sin wip (4639 ff.)

Die wie üblich maßlose Selbstüberschätzung:

ich getruw im [Entführer] wol gestriten:
ich eine bin im ein her. (4656 f.)

wird beschämend bestraft:

mit grozen kreften stach er in [K.]
enbor uz dem satele hin,
daz im ein ast den helm gevienc
und bi der gurgelen hienc (4671 ff.)

Das ist keine spielerisch-burleske Kampfes-Parodie wie gegen Erek oder
ein ernster, ritterlicher Kampf gegen Iwein, sondern durch die Analogie
zum Verbrecher am Galgen [17] wird Keie symbolisch degradiert, potentiell
aus der Artus-Ritterschaft ausgestoßen: Alle Gefährten vom Artushof rei-
ten, ohne zu helfen, an ihm vorbei wie an einem Strauchdieb (4683). Chrétien hatte die „Entführungsszene" im *Lancelot* bei weitem nicht so diskri-
minierend für Keu gestaltet. Hartmann geht in dieser Szene im Negativen
der Keie-Figur über Chrétien hinaus wie nie zuvor. Keie ist hier der wahrhaft „Böse": des *tiuvels geverte* (4676). Die Verdammung und die Drastik
sind zwei Elemente, die auf den spät-höfischen Roman vorausweisen. Diese
Szene Keies könnte man auch in Strickers *Daniel* oder in der *Crône*
finden (vgl. Kap. VII). Das überrascht bei dem hoch-höfischen „Klassiker"
Hartmann: Es mag zeigen, daß schwerlich eine säuberliche Grenze zwischen
dem „hoch"- und dem sog. „spät"-höfischen Roman zu ziehen ist.[18]

Zusammenfassung und Vergleich

Alle Darstellungen der Keie-Figur bei Hartmann bestätigen die Einheit-
lichkeit ihrer Gestalt. Eine Konzeption dieser Figur und im Ansatz auch
ihrer Funktion muß von v o r n h e r e i n vorhanden gewesen sein. Woher
Hartmann sie hatte, bleibt unbekannt. Konsequent wird alles Geschehen
aus dem großen ‚Charakter-Exkurs' des *Erek* entwickelt: Der Grundzug

---

[17] Quelle ist vielleicht eine irisch-keltische Geschichte, vgl. LOOMIS, R., Arthurian
Tradition and Chrétien de Troyes, New York 1949, S. 203 f.
[18] Vgl. a. diese Frage bei Ulrich von Zazikhofen, Kap. VII.

der Figur ist die *unstaete (Erek,* 4647) — es bedeutet unter p s y c h o l o - g i s c h e m Aspekt eine Schwächung: *da swachete er sich mite (Erek,* 4658), und in m o r a l i s c h e r Sicht eine Verurteilung: *Keii in siner valscheit* heißt es prononciert beim ersten Auftritt im *Erek* (4639 [38]). Der Keie Hartmanns ist deutlich negativer gezeichnet als der Chrétiens, vor allem wenn man dessen Keu-Darstellung im *Perceval* als Aussage gleichsam „letzter Hand" betrachten will. Unverständlich erscheint darum Hildegard Emmels Meinung: „Im Gesamtbild [bei Hartm.] sollen die wertvollen Züge überwiegen." [19] Um zu einer solchen Fehldeutung zu kommen, muß man zum einen das Lob Hartmanns für Keies Amt isolieren und überschätzen und zum andern den moralischen Charakter des Begriffs *unstaete* bei Hartmann verkennen. Rational-psychologische Klärungsabsicht und moralische Wertung bestimmen Hartmanns Keie-Darstellung in beiden Romanen: „Es geht ihm in der fabula vor allem um das docet", merkt Wapnewski (generell) an.[20] Chrétien, der die Keie-Figur in ihrer spezifischen Ausprägung ja erst entwickeln mußte, geht dagegen voraussetzungsloser vor, hält sich im Urteil zurück und neigt im Gegensatz zu Hartmanns Begrifflichkeit zu visueller Gestaltung, wie es z. B. die „Pfingstszene" des *Perceval* zeigte.

Die F u n k t i o n Keies, die gesellschafts-immanente Kritik und die Provokation des „Helden", führt Hartmann nachdrücklicher aus als Chrétien: Alle Auseinandersetzung dreht sich um die *ère,* die Stellung des Einzelnen in der höfischen Gesellschaft; das wird zum Leitmotiv aller Keie-Szenen. Die Keie-Figur wird somit zunehmend in den Rahmen der höfischen Wertvorstellungen und der gesellschaftlichen Erziehung eingespannt. Chrétien kann freilich weder von einer Keu-Konzeption noch von einem festgefügten Gesellschaftsbild ausgehen: Er experimentiert, entwickelt von Roman zu Roman genauere und umfassendere Vorstellungen von der Wechselwirkung der Keu-Figur mit der Artus-Gesellschaft. In knapper Form läßt sich die spezifische Leistung der beiden Autoren in Bezug auf die Keie-Figur vielleicht zusammenfassen: Chrétien schafft die Substanz der Figur — Hartmann interpretiert und bewertet sie. „Diese [Interpretation] vollzieht sich im [schöpferischen] Verdeutlichen und Entfalten, in Umstellungen und Ergänzungen, aber auch in expliziten Formen: in der Herausstellung des Gehalts durch Raisonnement, Sentenzen, Lehre" [21].

[19] EMMEL, H., a. a. O., S. 106.
[20] WAPNEWSKI, P., a. a. O., S. 42.
[21] RUH, K., a. a. O., S. 108.

Was hier von K. Ruh allgemein von Hartmanns Verhältnis zu Chrétien gesagt wird, kann die Keie-Darstellung bestätigen. Nähe und Ferne zu Chrétien ist aber in Hartmanns beiden Romanen unterschiedlich: Im *Iwein* hält sich Hartmann, wie bereits ausgeführt, enger an Chrétien als im *Erek*. Die beiden Keie-Darstellungen des *Erek* und *Iwein* stehen zu ihren französischen Vorlagen im selben Verwandtschaftsgrad, in gleicher Nähe wie die Romane im Ganzen. Der bereits „*valsche*" Keie im *Erek* Hartmanns ist relativ stark vom höchstens banausisch-tölpelhaften Keu in Chrétiens *Erec* unterschieden. Dagegen stimmen die Keie-Gestalten der *Iwein*-Romane Chrétiens und Hartmanns ziemlich weit miteinander überein. Handlungsvorbild für die Keie-Szene in Hartmanns *Erek* ist die des französischen *Erec* — Charakter-Vorbild für Keie aber muß bereits der „böse" Keu des *Yvain* sein. Hartmann muß also — neben etwaigen anderen, unbekannten Quellen [22] — mit dem *Yvain* vertraut gewesen sein, als er seinen, im Negativen schon so eindeutig und sicher gezeichneten Keie im *Erek* gestaltete; der *Lancelot* Chrétiens etwa hätte ihm nicht geholfen, und ob Hartmann den *Perceval* gekannt und genutzt hat für seine Keie-Figur, ist nicht zu entscheiden.[23]

Chrétien und Hartmann stellen — bei allen Unterschieden — mit ihren zahlreichen Werken das M o d e l l für den „Artus-Roman", darüber hinaus auch für die Keie-Figur her: Alle folgenden Autoren beziehen sich, fast immer zustimmend, auf das jetzt fixierte Bild von „Keie". Auch Wolfram benutzt es als Folie für seine eigene Deutung.

---

[22] Das Mabinogi-Problem kann hier nicht erörtert werden, vgl. a. Kap. IV.
[23] Auch wenn der *Erek* „bald nach 1180" (WAPNEWSKI, S. 21) entstanden ist, kann Hartmann schon den *Yvain* gekannt haben (1177, nach HOFER, ST., Chrétin de Troyes, Graz 1954, S. 155 f.).

III. Die Keie-Figur bei W o l f r a m von Eschenbach

Parzival

Der bedeutendste deutsche Artus-Roman, der *Parzival*, der zugleich
bereits die Grenzen dieses Genres stofflich und ideell überschreitet, setzt
in seiner Darstellung der Keie-Figur die Artus-Romane Chrétiens und
Hartmanns voraus. Wolfram kennt diese Keie-Darstellungen: In den
Grundzügen der Figur und der Szenen schließt er sich an Chrétiens *Perceval* an, in der Deutung und Wertung aber hebt er sich von Chrétien und
vor allem von Hartmann ab. Er stemmt sich in seiner Interpretation gegen
die schon herausgebildete Tradition und gegen das damit leicht entstehende
Vor-Urteil gegen Keie: *swie klein ich des die volge han* (296, 21). Die
apologetische Absicht zwingt Wolfram zu noch ausführlicherer, weil argu-
mentierender Darstellung als seine Vorgänger. Seine von keiner „Vorlage"
einzuengende Originalität zeigt sich in vielen eingefügten oder phantasie-
voll variierten Details [1]; vor allem die mittlere Gruppe der drei aus dem
Perceval übernommenen Szenen-Komplexe übertrifft an plastischer Ausführlichkeit und differenzierter Deutung alle früheren (und späteren)
Artus-Romane.

Beim ersten Erscheinen Keies im *Parzival*, in der traditionellen „ I I o f -
S z e n e ", bemerkt man bereits einschneidende Änderungen. Nicht wie
der Keu Chrétiens wendet sich Keie voller Spott direkt gegen Parzival,
sondern der Truchseß richtet seine Worte sogleich über den Kopf des
(scheinbar) dahergelaufenen Tölpels hinweg an seinen König. Keie ermahnt zunächst den König, freigebig und großzügig mit Parzival zu verfahren: *ir waert ein künec unmilte* (150, 11), und zugleich kritisiert er
Parzival damit. Er stellt dessen Kampfeseifer hin als den unreifen Trotz
eines Kindes, das „Kreisel spielen" will (150, 11): Warum sollte man ihn
nicht gewähren lassen? Seinem König gibt er daher den Rat: *ez* [das
„Kind" Parzival!] *muoz noch dicke bagen . . . man sol hunde umb ebers
houbet geben* (150, 19/22) — [gegen einen Eber hetzen]. Für den tapferen
Ritter Keie, der er bei Wolfram in engem Anschluß an Chrétin stets ist,
muß es selbstverständlich sein, daß „junge Leute" sich in schwierigen Un-

---

[1] Vgl. BUMKE, J., Wolfram von Eschenbach, Metzler 1964, S. 33 f.

ternehmungen und *aventiuren* bewähren sollen. Keie erweist sich hier nicht als der intrigante, bösartige Höfling wie in Hartmanns und auch Chrétiens *Iwein*-Romanen, sondern scheint ein überlegen-kritischer Ratgeber und geachteter Truchseß zu sein. Den anschließenden Auftritt Keies, sein skandalöses, brutales Benehmen gegen das Hoffräulein (bei Wolfram: Cunneware) und den Narren, hat Wolfram beibehalten, aber es ebenfalls mit neuen, „pädagogisch" mildernden Akzenten versehen. Die *fiere* (151, 12, stolze) Cunneware bekommt keinen „rohen Schlag in das zarte Gesicht" wie in Chrétiens *Perceval*, sondern wird an den langen Haaren gefaßt und mit dem Stab, dem Kennzeichen der Truchseß-Autorität, bestraft: *durch die wat unt durch ir vel ez dranc* (151, 30). Der Tugendwächter in Keie, die *merkaere*-Funktion kommt zum Durchbruch (vgl. Kap. IV): Aus der begrenzten Sicht des *unwisen* Keie, wie Wolfram immerhin kritisch bemerkt, mußte der so unritterlich erscheinende Parzival (152, 10) und das Lob Cunnewares für ihn die Ehre des Artus-Hofes verletzen. Keies Strafaktion erhält einen Anschein von Berechtigung:

> *do sprach der unwise:*
> *,iwerm werden prise*
> *ist gegebn ein smaehiu letze:*
> *ich pin sin vängez netze,*
> *ich soln wider in iuch smiden*
> *daz irs enpfindet uf den liden.*
> *ez ist dem künge Artus*
> *uf sinen hof unt in sin hus*
> *so manec werder man geriten,*
> *durch den ir lachen hat vermiten,*
> *unt lachet nu durch einen man,*
> *der niht mit ritters fuore kan.'* (152 ff.)

Keies Selbstvertrauen (*ich pin* ...) ist in seiner Stellung begründet (*ich sol* ..): dem *künege Artus uf sinen hof unt in sin hus* „Recht und Ordnung" erhalten. Daß er in Befolgung seiner notwendigen, aber schlecht verstandenen Pflicht die Grenzen höfischen Anstandes verfehlt, sich in den Mitteln gröblich vergreift, kritisiert auch Wolfram. Emotionalität und Maßlosigkeit waren schon bei Chrétien die Ursache für Keies Verfehlungen, aber Wolfram billigt ihm in mildernder Absicht eine gewisse „Unzurechnungsfähigkeit" gleichsam achselzuckend, mit Verständnis für menschliche Fehlerhaftigkeit zu:

> *in zorne wunders vil geschiht.*
> *sins slages waer im erteilet niht*

> *vorem riche uf dise magt,*
> *diu vil von friwenden wart geklagt.* (152,13)

Trotz kritischer Stellungnahme wird die dämpfende Absicht Wolframs
deutlich, wenn er z. B. den Tadel des Königs (für den Keu bei Chrétien)
unterdrückt. Neben dieser allgemeinen M i l d e r u n g s - T e n d e n z ist
Wolframs Bestreben bemerkbar, die Beziehung zwischen Keie und Parzival
deutlicher als Chrétien herauszustellen, sie als H a n d l u n g s e l e m e n t
produktiv zu machen. Keies Zorn hatte sich im Hintergrund gegen den
gerichtet, der *niht mit ritters fuore kan* (s. o.): Parzival wird das *leit* der
beiden Geschlagenen rächen, in denen er selber getroffen war.

> *im was von herzen leit ir not:*
> *vil dick er greif zem gabilot.*
> *vor der künegin was sölch gedranc,*
> *daz er durch daz vermeit den swanc.* (153, 17 ff.)

Das entscheidende Motiv der „Feindschaft zum Helden" ist damit entwickelt und vor allem: deutlich herausgestellt. Die drei von Chrétien kurz
geschilderten Episoden der von Parzival besiegt an den Artushof zurück-
geschickten Gefangenen haben die Funktion, an die Feindschaft zwischen
Keie und Parzival zu erinnern und die Überbrückung herzustellen von der
Beleidigung bis zur Rache Parzivals. Was hat Wolfram aus der Vorlage
gemacht? Die Funktion der Szenen war Chrétien bereits klar gewesen; das
Verdienst Wolframs besteht darin, bei gleichermaßen durchsichtigem Be-
deutungszusammenhang jede dieser Szenen ausführlicher und nuancenrei-
cher, mit individueller Farbigkeit ausgestaltet zu haben. Auf den bildkräf-
tigen Auftritt Keus zu Pfingsten, wo sich ihm eine Gasse in der Hofgesellschaft auftut, hat Wolfram allerdings verzichtet: Ihm schien diese Szene
wohl allzu negativ für Keie zu sein. Der erste Gefangene, der die Rache
Parzivals ankündigt, ist ein Truchseß:

> *Keie erschrac und begunde roten;*
> *do sprach er 'bistuz Kingrun?*
> *avoy wie mangen Bertun* [Artus-Ritter]
> *hat enschumpfieret din hant,*
> *du Clamides scheneschlant!* [Seneschall]
> *wirt mir din meister nimmer holt,* [Parzival]
> *dins amts du doch geniezen solt:*
> *der kezzel ist uns undertan,*
> *mir hie unt dir ze Brandigan.*
> *hilf mir durch dine werdekeit*
> *Cunnewaren hulde umb krapfen breit.'*
> *er bot ir anders wandels niht.* (206, 22 ff.)

Keie ist nun doch erschrocken, er hatte der Affäre mit Parzival in seiner Gedankenlosigkeit keine große Bedeutung gegeben, findet sich aber rasch und gelassen mit der Drohung Parzivals ab. Wie H. Emmel betont: Als ein „nüchterner, tüchtiger Biedermann" [2] lobt er ohne seinen üblichen Neid die Tüchtigkeit seines Kollegen. Er ist durchdrungen von der Wichtigkeit ihres Amtes: *der kezzel ist uns undertan.* Hier ist wohl die W i r k l i c h - k e i t des Truchsessen-Amtes, zumindest in der provinziellen Perspektive Wolframs, zu fassen [3]. Die Stellung als Küchenchef verleiht Keie hausväterliche Autorität, patriarchalische Würde, die aber einen — bei Wolfram häufigen — humoristischen Akzent bekommt (vgl. Kap. VIII), wenn er in Überschätzung seiner Möglichkeiten glaubt, etwa die *hulde* der von ihm gekränkten Dame wieder zu gewinnen ausgerechnet durch *krapfen breit!* Er fühlt auch jetzt nicht, wie schwer die Beleidigung war und will sie mit seinen Küchenprodukten „abspeisen".

Der zweite Gefangene, der das Racheversprechen Parzivals für Cunneware überbringt, ist der Herr Kingruns, der König Clamide. Keie aber wehrt sich auch hier selbstbewußt und dämpft die Freude des Hoffräuleins; er belehrt sie:

> *ich tetz durch hoflichen site*
> *und wolt iuch han gebezzert mite:*
> *dar umbe han ich iwern haz.* (218, 25 ff.)

Hier bereits wird ausgesprochen, worum es Wolfram offensichtlich bei der Keie-Gestaltung geht: Keie will und soll der Hüter der *hovelichen site* sein, der andere in pädagogischer Absicht „bessern" will, ohne in seiner Beschränktheit und fast dogmatischen Verblendung allerdings zu begreifen, daß die Wahl seiner Mittel ihn selber unhöfisch werden ließ. Wie um seine pädagogische Funktion zu beweisen, tritt der Truchseß sogleich Cunnewaren gegenüber wieder als Kritiker auf; er gibt ihr einen höfischen Rat:

> *iedoch wil ich iu raten daz,*
> *heizt entwapen disen gevangen:*
> *in mac hie stens erlangen* (218, 28 f.)

Cunneware tut das Verlangte sofort, widerspruchslos und zeigt damit, daß Keie hier Recht hat. Es mag einerseits ein geschicktes Ablenkungs-

---

[2] Emmel, H., a. a. O., S. 89.
[3] Wolframs Subjektivität schafft immer wieder humoristische Diskrepanz von Artus-Idealität und eigener, realistisch beobachteter (fränkischer, thüringischer) Wirklichkeit, z. B. a. v. 216, 28.

manöver sein in einer für Keie peinlichen Angelegenheit und gibt ihm andererseits die Chance, die grundsätzliche Berechtigung der früheren Züchtigung erneut zu beweisen; auch zeigt sich ein gewisses Maß von Takt dem besiegten König gegenüber: Der „Truchseß" weiß um Rang und Machtgefälle.

Die dritte „Gefangenen-Szene" bringt eine gesteigerte Aufhellung des Keie-Bildes. Überhaupt zum ersten Mal wird dieser Figur Feingefühl und Takt zugesprochen — man denke dagegen nur an den *zuhtlosen* Keie Hartmanns! Keie vermeidet es, die Freude der Geschwister Cunneware und des (gefangenen) Orilus zu stören; er bittet seinen Kollegen Kingrun, ihn zu vertreten:

> *Kei durch daz sin dienst liez:*
> *unsaelde ins fürsten swester hiez*
> *ze sere alunn mit eime stabe:*
> *durch zuht entweich er diens abe.* (279, 3 ff.)

Wolfram bemüht sich offensichtlich, das an sich unverzeihliche Benehmen Keies gegenüber Cunneware als einmaligen Fehlgriff hinzustellen: Es sei *unsaelde*, also sein „Unglück", sein „Unstern" gewesen; daß Cunneware *ze sere* geschlagen wurde, ist zwar Kritik an Keie, deutet aber zugleich auch eine gewisse prinzipielle Berechtigung an. Die neue und ungewohnte Höflichkeit des Seneschalls reicht freilich nicht aus zu einer ausgesprochenen Entschuldigung. Er kann sich nur wieder zu einer materiellen Wiedergutmachung durchringen, die inhaltlich vielleicht den *krapfen breit* (207,2) der Kingrun-Szene entspricht:

> *ouch was diu schulde niht verkorn*
> *von der meide wol geborn.*
> *doch schuof er spise dar genuoc.* (279, 7 ff.)

Wolframs Tendenz, die Keie-Figur aufzuwerten, zeigt sich auch in Keies gesellschaftlicher Stellung. Er reduziert die allgemeine Kritik an Keie, die Chrétien massiv durch König und Königin aussprechen ließ; mit sparsamer, formaler Verurteilung genügt er der herausgebildeten Tradition des Artus-Romans. Lakonisch wird an einigen Stellen das Urteil der Gesellschaft eingefügt (z. B. 222,7/277,1/308,20). Noch auffälliger ist, daß Wolfram jeden Tadel des Königs (für den Keu bei Chrétien) ausgemerzt hat. Es wird zu überlegen sein (vgl. Kap. V), ob Wolfram die Kritik an Keie überhaupt für berechtigt hält oder besser: ob er Artus und die „Gesellschaft" für berechtigt hält, Keie zu kritisieren. Die Ausführlichkeit der drei „Gefangenen-Szenen" hat ihren Sinn darin, die (bereits in sich „positiver" gezeichnete) „Cunneware-Szene" zu erklären und in einem milderen Licht erscheinen zu lassen.

So ist Wolframs Publikum bereits geschickt vorbereitet auf die nun folgende, endgültige R e h a b i l i t i e r u n g der Keie-Figur gegenüber ihren vorwiegend negativen Schilderungen bei Chrétien, Hartmann (und Eilhart, vgl. Kap. IV). Wolfram äußert sich jetzt selber: Seine Darlegung ist, mit fast wörtlichen Entsprechungen, als eine Replik auf Hartmanns Verurteilung der Keie-Figur zu verstehen:

> an swem diu kurtosie
> unt diu werde cumpanie
> lac, den kund er eren,
> sin dienst gein im keren. (297, 1 ff.)

Wolfram widerspricht Punkt für Punkt der Auffassung Hartmanns: Keie haßt niemanden, dem Anerkennung gebührt, sondern schätzt ihn (den gefangenen Truchseß), unterstützt ihn (z. B. den gefangenen König); höfisches Benehmen weiß er auch anzuerkennen (Cunneware in den „Gefangenen-Szenen"). Wolfram sieht sich daher gegenüber seinem Publikum genötigt, ein Mißverständnis aufzuklären:

> ich gihe von im der maere,
> er was ein merkaere.
> er tet vil ruhes willen schin
> ze scherme dem herren sin:
> partierre unde valsche diet,
> von den werden er die schiet:
> er was ir fuore ein strenger hagel,
> noch scherpher dan der bien ir zagel.
> set, die verkerten Keien pris.
> der was manlicher triwen wis:
> vil hazzes er von in gewan. (297, 5 ff.)

Keies kritisch-rauhe (ruhe) Art dient allein ze scherme dem herren sin. Voll manlicher triwen zu seinem König muß der Truchseß scharf als strenger hagel durchgreifen, um in der Hofgesellschaft die Spreu vom Weizen zu trennen. Alle Verurteilung, aller Haß gegen Keie ist für Wolfram psychologisch durchsichtig als Rache der (zu Recht) Gemaßregelten: vil hazzes er von in gewan. Daß der „Pädagoge" nicht geliebt ist, weiß auch Keie selber (gegenüber Cunneware):

> ich wolt iuch han gebezzert mite:
> darumbe han ich iwern haz (218, 26 f.)

Diese psychologische Erkenntnis Wolframs ist nicht abwegig. *Keien pris* konnte durchaus durch *valsche diet* am Hof ins Gegenteil verkehrt werden: „den strengen Gebieter [Truchseß] ... haßten sie."[4] Im Spannungsfeld von zentralistisch eingestelltem König und einer nach Autonomie strebenden aristokratischen Gesellschaft [5] steht der Truchseß Keie: „Le seneschall et econome royal defend la Table contre des prodigalités ruineuses."[6]

Diese Erfahrung hat Wolfram selber am Hof seines Gönners Hermann von Thüringen machen müssen. Machtverhältnisse durchaus realistischer Art werden hier dargestellt:

> *von Dürgen fürste Herman,*
> *etslich din ingesinde ich maz,*
> *daz uzgesinde hieze baz:*
> *dir waere ouch eines Keien not* (297, 16) (vgl. Kap. V)

Wolfram macht Keie im *Parzival* zum exemplarischen Fall, mit dem er die Notwendigkeit einer tüchtigen Aufsicht bei Hofe beweisen will. Er stellt sich auf Grund eigener negativer Erfahrung auf die Seite der „Ordnung" und macht aus der an sich für seine Zwecke wenig geeigneten Gestalt Keies, dessen Charakterfehler ja kaum zu vertuschen sind, einen Vorkämpfer dieser erstrebten Ordnung. Seine Unbekümmertheit gegenüber dem bisherigen negativen Bild von Keie, die zielstrebige Vorbereitung und Entschiedenheit seiner Umdeutung beruhen darauf, daß Wolfram die Keie-Figur primär in ihrer F u n k t i o n gestaltet und sie in dieser Funktion bejaht. Hatte Hartmann seinen Keie vorwiegend als interessante, zwielichtige „Persönlichkeit" geschildert und verurteilt, so wird Keie bei Wolfram zum Typ: zum Träger eines abstrakten Ordnungsprinzips in der aristokratischen Gesellschaft. Daß diese idealistische Vorstellung von hierarchisch-stabiler „Ordnung" eine hoch-höfische Fiktion ist und bleiben mußte, ist eine andere Frage.[7] Die „Funktion" der Keie-Figur dient hier nur der Demonstration praktischer, politisch-gesellschaftlicher

---

[4] WAITZ, G., Dt. Verfassungsgesch., Bd. 2, 2, Berlin 1882, S. 98.

[5] Vgl. KÖHLER, E., a. a. O., S. 16; der Gegensatz von Königtum und Fürsten (Vasallen) ist sowohl in Frankreich (Philipp-August) wie u. a. in Deutschland im staufisch-welfischen Streit wie auch in England zu erkennen (Magna Charta, 1215).

[6] MARX, J., La Légende Arthurienne et le Graal, Paris 1952, S. 100.

[7] Man darf Walther von der Vogelweide, der für Wolfram ein Mitleidender ist (297, 24), mit seinem ‚Reichston' heranziehen: *fride und reht sint sere wunt...* *wie stet din ordenunge!* (Str. 1 u. 2).

Kritik Wolframs, hinter der geschichtliche Wirklichkeit sichtbar wird.[8] Für diesen Zweck wird alles allzu Negative an Keie eliminiert oder uminterpretiert.

Diese Deutung bestätigt sich in Keies zentraler Szene, im „Kampf mit dem Helden", in der schon von Chrétien bekannten „B l u t s t r o p f e n - S z e n e ". *Keye, der küene man* (290, 3) zu Beginn schlägt den Grundakkord an — spiegelbildlich zu Hartmanns Konzeption: *Keii in siner valscheit (Erek* 4629 [38]). Auch Chrétiens *Perceval* wird stark verändert: Keie verspottet nicht den gescheiterten Sagremor, der König tadelt deshalb auch nicht den Seneschall, sondern gibt huldvoll dessen bescheidener, doch selbstsicherer Bitte statt:

> *ob ich iu so wirdec pin,*
> *lat mich versuochen wez er ger* (290, 10 f.)

Um Keies Verantwortungsgefühl (*unsern pris,* 290, 18) zu demonstrieren — nicht etwa Anmaßung —, fügt Wolfram das Motiv der Abschiedsdrohung aus dem *Lancelot* Chrétiens ein:

> *sit er* [P.] *mit uf gerihtem sper*
> *dort habt vor iwerm wibe,*
> *nimmer ich belibe*
> *in iwerem dienste mere:*
> *tavelrunder hat unere* (290, 12 ff.)

Als Prototyp militanten Rittertums stellt ihn Wolfram hin, wieder in Gegensatz zu Hartmann (*zuhtlos, traege*):

> *Keie der ellens riche*
> *kom gewapent riterliche*
> *uz, alser strites gerte* (293, 19 ff.)

Keies Selbstsicherheit (*ir enmeget mir niht entvliehen*) und sein tapferer, schwerer Kampf gegen Parzival werden entsprechend glaubwürdig gemacht:

> *Keie sine tjoste brahte*
> *als im der ougen mez gedahte,*
> *durchs Waleis* [P.] *schilt ein venster wit,*
> *im wart vergolten dirre strit.*
> *Keie Artus schenescalt*
> *ze gegentjoste wart gevalt . . .* (295, 13 ff.)

---

[8] Die Umdeutung Keies scheint politische Hintergründe zu haben als Kritik an Hermann von Thüringen, vgl. dazu Kap. V.

54

Keie wird beim Sturz noch ernster verletzt als bei Chrétien. Symbolisch wird der Ernst gesteigert: Das „ledige Pferd" meldet nicht wie sonst immer die obligate Niederlage, sondern *der man wart wunt/ daz ors lac tot* (295, 22). Die Beziehung zur ersten Keie-Szene macht Wolfram im Unterschied zu Chrétien deutlich:

> *sus galt zwei bliwen* [Schläge] *der gast* [P.]
> *daz eine leit ein maget durch in,*
> *mit dem andern muos er selbe sin* (295, 28 ff.)

Parzival rächt die Beleidigung Cunnewarens und den beleidigenden Schlag Keies auf den Kopf des träumenden Parzival (294, 10 f.): „Hofszene" und „Kampf-Szene" werden so symbolisch miteinander verbunden dadurch, daß Keie seine damalige Aggression gegenüber Parzival wiederholt unmittelbar vor dem Kampf. Zu große Anmaßung, damals vor Cunneware, jetzt gegen Parzival, zeigt, daß er die außergewöhnliche Erscheinung Parzivals nach wie vor in seiner hausbackenen Begrenztheit nicht zu erfassen vermag.

Der tapferste und ernsthafteste Kampf Keies in seiner bisherigen Geschichte kann daher auch nicht über die inneren Rangunterschiede hinweghelfen. Zwei Repräsentanten verschiedener ritterlicher Wertvorstellungen prallen aufeinander: hier der nüchterne, der glanzvollen *werld* konventionell verhaftete Artus-Ritter — dort der nach religiösen Bereichen strebende und umgetriebene Grals-Sucher (296, 5). Die Polarisierung des ritterlichen Lebens in *werld*-Beschränkung und Gott-Suche, zwischen *aventiuren*-Zufälligkeit und christlicher Auserwähltheit wird in dieser Auseinandersetzung exemplarisch zum Thema gemacht. Die beiden Ritter sind ähnlich in kämpferischer Tugend, vergleichbar noch im Äußeren — unvergleichlich im Wesen. Aber Wolfram beläßt Keie einen Rang und eine Würde, er bestätigt dessen *werdekeit* und berichtigt das Vorurteil gegen Keie. Nachdrücklich faßt Wolfram noch einmal seine Meinung zusammen: *des giht min munt* (s. u.), weil er sehr wohl weiß, daß er sich mit seiner im Ganzen positiven Keie-Deutung gegen Wissen und Tradition der großen Mehrheit der Dichter und des Publikums stellt: *swie klein ich des die volge han* (s. o.):

> *küene liute solten Keien not*
> *klagen: sin manheit im gebot*
> *genendecliche an manegen strit.*
> *man saget in manegen landen wit*

> *daz Keie Artus scheneschalt*
> *mit siten waere ein ribbalt:* [Rüpel]
> *des sagent in miniu maere bloz:*
> *er was der werdekeit genoz.*
> *swie kleine ich des die volge han,*
> *getriwe und ellenthaft ein man*
> *was Keie: des giht min munt.* (296, 13 ff.)

Die Reaktion der Hof-Gesellschaft spiegelt diese Rehabilitierung Keies. Er besitzt *vriunt* (298, 4), die um ihn trauern; wehklagend wird der Verwundete ins Zelt des Königs getragen.

Das beste Zeugnis für Rang und Wertschätzung Keies ist die schmerzliche Klage von Gawein um den „vriunt":

> *‚owe unsaelic tac,*
> *daz disiu tjost ie wart getan,*
> *davon ich friunt verloren han'*
> *er klagt in senliche.* (298, 8 ff.)

Die Freundschaft zu Gawein war bestenfalls im ersten Artusroman Hartmanns angedeutet. Wolfram stellt hier Beziehungen und Verhältnisse dar, die offensichtlich in der frühen, vor-höfischen Artus-Tradition bestanden haben müssen [9], was allerdings nicht heißen soll, daß Wolfram diese Quellen kannte. Der Grund ist vielmehr: Durch die religiöse Tiefendimension des *Parzival*, die im fragmentarisch gebliebenen *Perceval* viel undeutlicher ist, werden Gawein und Keie näher aneinandergerückt. Tapferkeit und *werld*-Begrenzung machen Keie zu einer P r ä f i g u r a t i o n Gaweins; in der Distanz zum religiös beunruhigten, „zerrissenen" Parzival stehen sie auf der gleichen Seite (vgl. Kap. V), während Chrétien Perceval und Gauvain als die „Höfischen" enger zusammengestellt, Keu dagegen isoliert hatte. Wolfram will aber gleichfalls zwischen Gawein und Keie differenzieren: Auf die Auseinandersetzung mit Parzival folgt darum diejenige mit Gawein, wobei sich Wolfram diesmal eng an die Vorlage hält. In seinem altbekannten Jähzorn, durch Niederlage und Verletzung gereizt, geht Keie, der *zornes riche* (298, 12), auf Gawein los:

> *‚herre, erbarmet iuch min lip?*
> *sus solten klagen altiu wip* ... (298, 13)
> *nune klagt nimer, lat mir den pin.*
> *iwer oeheim, der künec her,*
> *gewinnet nimmer sölhen Keien mer.* (298, 22 ff.)

---

[9] Vgl. dazu die Beispiele in Kap. IV.

Rauhbeinige und ungeschliffene Offenheit unterscheidet Keie von Gaweins Zurückhaltung. Der bärbeißige Haudegen gleichsam „alter Schule" traut in seiner Ich-Begrenztheit der höfisch-eleganten Art des andern grundsätzlich nicht die eigene Leistung und Tapferkeit zu:

> 'so wert ir swertes blicke bleich
> und manlicher herte weich. (299, 11 f.)
>
> und:
>
> ir sit mir rach ze wol geborn:
> het ab ir ein vinger dort verlorn,
> da wagte ich gegen min houbet . . .
> kert iuch nicht an min hetzen,
> er [P.] kan unsenfte letzen (298, 25 ff.)

Mit dieser letzten Bemerkung aber rückt sich Keie wiederum in eine Front mit Gawein. Dessen Erfolg bei Parzival durch Verbindlichkeit, Klugheit, auch Verständnis in einer Angelegenheit, in der Keie mit all seinem Kampfesmut nichts ausrichten konnte, macht freilich die wahre Überlegenheit deutlich; Wolfram nimmt daher in diesem Fall für Gawein Partei:

> sus was der wol gelobte man
> gerant zer blozen siten an (299, 13 f.)

Die nun gespannte Beziehung zwischen den Freunden Gawein und Keie schildert Wolfram später noch einmal, noch ungünstiger für Keie, aber in völlig verändertem Zusammenhang in einer kurzen, isolierten Episode der „Gawein-Handlung" (13. Buch). Scheinbar ist Wolfram dort auf die einseitige, moralistische Position Hartmanns zurückgefallen:

> do dahter noch des dinges,
> wand in Gawan dort niht rach,
> da im sin zeswer arm zebrach.
> gôt mit den liuten wunder tuot,
> wer gap Gawan die fröuwen lwot?'
> sus sprach Keie in sime schimpf.
> daz was gein friunde ein swach gelimpf,
> der getriwe ist friunden eren froh:
> der ungetriwe ‚wafeno'
> rüefet, swenne ein liep geschiht
> sinem friunde und er daz siht (675, 10 ff.)

Man kann diese Veränderung des bisher von Wolfram konsequent aufgebauten Keie-Bildes verschieden interpretieren: In psychologischer Hinsicht ist der Mißmut Keies und entsprechend sein Vergeltungsbedürfnis gegen Gawein, der ihn vermeintlich in Stich ließ, verständlich. Aber man sollte den psychologischen Aspekt nicht allzu sehr heranziehen: Wie einsichtig Wolfram auch individuelle Seelenlagen schildern kann, so interessiert ihn an der Keie-Figur in erster Linie nicht die verzwickte Psychologie des Charakters (wie etwa Hartmann), sondern seine Funktion als Truchseß, der die „Ordnung" am Hof aufrechterhält (s. o.). Zur Erörterung der Gesellschafts-Problematik, zur Kennzeichnung des Verhältnisses von Parzival, Gawein und Keie im 6. Buch benötigte Wolfram die Keie-Figur in ihrer Funktion. In dieser isolierten Episode dagegen kann ihm die Funktion Keies gleichgültig sein. In der Charakterzeichnung Keies schließt Wolfram sich deshalb unbekümmert wieder an das traditionell negative Keie-Bild von Chrétien und Hartmann an:

> *so sint die muotes kranken*
> *gites unde hazzes vol* (675, 24 f.)

Darf man von „Widersprüchlichkeit" sprechen? Nach welchen Kategorien ist zu urteilen? Das neuzeitliche Denken mit seiner Forderung nach seelischer Konsistenz und psychologischer Folgerichtigkeit überfordert offenbar das mittelalterliche Denken. Das Keie-Bild z. B. Wolframs existiert nicht als Kontinuum, sondern setzt sich punktuell zusammen aus Einzel-Bildern, die jeweils für sich, in ihrem Für-sich-sein zu sehen sind. Die Situation bestimmt den „Charakter", nicht umgekehrt.[10] So kann Keie vor Cunneware anders auftreten als in den „Gefangenen-Szenen" oder später gegenüber Gawein, ohne daß man Wolfram den Vorwurf von psychologischer Inkonsequenz machen dürfte. Die Auseinandersetzungen Keies stehen unter verschiedener geistiger Belichtung: Es handelt sich nicht um eine „falsche Entwicklung" des Keie-Charakters, sondern um eine „veränderte Deutung"[11] der Keie-Figur. So trifft man wohl auf psychologisch subtile Charakterzeichnungen, eben auch bei Wolfram[12], aber dahinter steht noch keine neuzeitliche Vorstellung, die z. B. goethische Ideale organischer Entwicklung und „Entelechie" in sich aufgenommen hat.

Hier stößt man auf ein Hauptproblem in der Auffassung mittelalterlicher Kunstwerke: Ihr abstrakt-„idealistischer" Kern kommt zum Vorschein. Die Gestalten haben die Abstraktheit von F i g u r e n , „sie scheinen nicht primär als Lebenszentren zu interessieren ... persönliche Identität ist fast

---

[10] Vgl. Ruh, K., a. a. O., S. 111.
[11] Vgl. Wehrli, M., a. a. O., S. 333 f.
[12] Man denke vor allem an die Frauen-Gestalten Condwiramur, Antikonie, Gyburg.

nur noch im Namen gewährleistet".[13] Privates Schicksal und individuelle Reaktionen sind den hochmittelalterlichen Autoren offensichtlich weniger wichtig als die Fähigkeit der Figuren, Träger eines ideellen Gehaltes zu sein.[14] M. Wehrli spricht von „abstrakten und flächenhaften Charakteren ... mit nur notdürftiger Konstanz".[15] Alles „Reale" ist in hochmittelalterlicher Dichtung daher nicht konkret als Einzel-Element vorhanden, sondern ist als „Zeichen" verfüg- und verschiebbar, weil es eine Funktion in jeweils veränderten Sinn-Bezügen besitzt. Darum können bei der Keie-Figur an sich „feste" Charakterzüge relativ sorglos für den jeweiligen Handlungsverlauf und Sinn-Zusammenhang verändert werden: Bei Chrétien war Keu der Typ des „Provokateur", der in rationaler Weise aus „gut" und „böse" zusammengesetzt ist, bei Hartmann ist Keie der Repräsentant des „Unzuverlässig-Bösen" in der Gesellschaft, bei Wolfram wird Keie zum exemplarischen Ausdruck konventionell-höfischen Ordnungsdenkens.

Wolframs Keie-Figur ist in diesem Sinn die vielleicht vollkommenste „mittelalterliche" Darstellung dieser Gestalt. Hinter einer unübertroffen ausführlichen, differenzierten und lebendig-„individuellen" Gestaltung der Einzelzüge dringt das Funktionelle der „Figur", das an Keie Exemplarische hervor — die Inkarnation von angestrebter Würde und Idealität der ritterlich-höfischen Gesellschaft, hinter der die Wirklichkeit oft genug zurückbleibt: Das scheint Wolframs tiefere Absicht in seiner Keie-Darstellung gewesen zu sein.

13 Wehrli, M., ebd.
14 Vgl. Bezzola, R., a. a. O., S. 138.
15 Wehrli, M., ebd.

IV. Der Truchseß Keie

Keie ist der einzige Artus-Ritter mit einer definierten Hof-Funktion: Er ist der Truchseß des Königs Artus. In Keie wird sichtbar, daß hinter dem idealisierten Märchenkönigtum des Artus eine politische Machtstruktur, zumindest in Restformen steht, die der „Artus-Roman" freilich nur schattenhaft andeutet. Auf Keie fällt als Vertreter der königlichen Macht ein Abglanz der Artus-Idealität. Seine immer wieder behauptete Würde beruht auf seiner unabdingbaren Funktion: „Le seneschal et économe royal défend la Table (ronde) contre des prodégalités ruineuses." [1]

Aufgabe und Würde verhindern jedoch nicht, wie man zunächst annehmen sollte, den widersprüchlich-„bösen" Charakter Keies. Allerdings wird die Diskrepanz von ehrenvoller Stellung und umstrittener Person auch nie so groß, daß sie sich in ihrer Glaubwürdigkeit gegenseitig beeinträchtigten; die negative Charakterisierung Keies geht nur soweit, wie sie mit Keies Unentbehrlichkeit für den König gerade noch vereinbar ist: Hartmann und später Heinrich v. d. Türlin weisen ausdrücklich darauf hin.[2] Die grundsätzliche Widersprüchlichkeit der Keie-Gestalt wird gerade erst durch diesen Kontrast von „schlechtem Charakter" und Tüchtigkeit im „Amt" hergestellt.

Andererseits ist aber zu fragen, ob nicht gerade das Truchsessen-Amt wesentlich mit dazu beiträgt, die Keie-Darstellung ins Negative zu ziehen. Denn auffällig ist, daß allgemein „Truchseß, Seneschall und Steward . . . in den mittelalterlichen Dichtungen die Rolle des Intriganten und Bösewichts zu spielen . . . pflegen".[3]

Um dieses Problem zu klären, sei eine Vorüberlegung angestellt: Keie tritt stets im Machtradius des Königs auf, er ist weitgehend unselbständig. Er steht z. B. direkter, unlösbarer beim König als die Gegenfigur Gawein: Dessen Lösung vom Artushof im *Lancelot* oder im *Parzival*, der Aufbruch

---

[1] MARX, J.: La Légende Arthurienne et le Graal, Paris 1952, S. 100.
[2] Iw. 2567, Crône 1537: „die einzigen [Abschnitte] in der mhd. Lit., die von Keie Lobendes zu berichten wissen", in: SPARNAAY, H.: Hartmann von Aue, Halle 1933, S. 91.
[3] HERTZ, W., a. a. O., S. 525.

ins eigene Abenteuer, ist für Keie unmöglich. Schon daraus resultiert der prinzipiell tiefere Rang Keies gegenüber Gawein. Gaweins Idealität als „Musterritter" ist daher durchaus mit der des Artus zu vergleichen. In diesem Doppelgipfel formuliert der „Artus-Roman" seine Konzeption vom idealen Verhältnis von König und (fast!) autonomem Vasall. Keie dagegen ist unter diesem Aspekt nichts als die n e g a t i v e Äußerungsform des Königtums. Artus steht im Licht nicht zuletzt deshalb, weil sein Truchseß die undankbare Rolle innehat — der König repräsentiert und verteilt seine Gunst, Keie dagegen führt die Befehle im Hintergrund aus, setzt den Willen des Königs anderen gegenüber durch und muß sich gleichsam „die Hände schmutzig machen".

Keies Funktion, die politische Wirklichkeit des Königtums darzustellen, ist sicherlich seine primäre literarische Rolle. Ursprünglich muß auch Keie in der Idealität des Artus-Königtums mit einbegriffen gewesen sein, noch ehe irgendwelche Details und Charaktereigenschaften ausgeformt waren. Nach allen uns greifbaren historischen und literarischen Quellen bestand noch unmittelbar vor Chrétien (*Erec*, 1165?) und Eilhart (s. u.) (1170) ein zwar unpersönlich-dürftiges, aber durchaus p o s i t i v e s Keie-Bild mit den stereotypen Zügen von Königstreue, Tapferkeit, Tüchtigkeit.[4] Zunächst unerklärlich ist die offensichtlich rasche Entwicklung der Keie-Darstellung zum Negativen, eine Entwicklung, die in Chrétiens vier Keu-Gestaltungen und noch einmal vertieft bei Hartmann zu beobachten und auch dort noch keineswegs abgeschlossen ist. Ehe nach Gründen für diese schnelle Verschlechterung des Keie-Bildes gefragt werden kann, muß der geschichtlich-literarische Ausgangspunkt v o r Chrétien fixiert werden.

Was man weiß, ist nicht gerade viel: Unmittelbar vor Chrétien faßte 1155 der Normanne W a c e den Artusstoff in seinem *Roman de Brut* zusammen, ein Werk, das Chrétien kannte und benutzte. Nach Aselmann [5] erscheint die Keie-Gestalt hier nicht in negativer Weise: Heldenmut und Tapferkeit (12995 ff.), Selbstvertrauen (13013), Treue zum König und zum Freund Beduer (13041 ff.) werden dem Seneschall zugesprochen. Der *Roman de Brut* des Wace ist aber nicht selbständig, sondern ist eine freie Vers-Übertragung und Höfisierung des Werkes des Klerikers G e o f f r e y von Monmouth. Dieser fabulierende Historiker („Geschichtsfälschung größten Sti-

---

[4] „Das Schwarze Buch von Caermarthen bezeichnet ihn als einen gewaltigen Krieger", SPARNAAY, H., a. a. O., S. 91.

[5] ASELMANN, Karl, Der Marschall Keu i. d. altfrz. Artus-Epen, Diss. Jena 1925.

les") [6] schrieb 1130/36 seine *historia regum britanniae* und schuf wahrscheinlich überhaupt erst den Mythos von König Artus und seiner Tafelrunde. Geoffrey kennt einen „tapferen dapifer (d. h.: Truchseß) Cajus", ein Name, der aus dem Keltischen übersetzt ist. Artus belehnt ihn für treue Dienste mit der Provinz Anjou.[7] Im Kampf mit den Römern ist er der tapfere Führer eines Heeres und ein treuer Freund für Beduer, dessen Leiche er tollkühn aus der Entscheidungsschlacht gegen die Römer rettet, in der er selbst dann tödlich verwundet wird: Die Keie-Figur besitzt bei Geoffrey keine einzige „schlechte" Eigenschaft.

Vor Geoffrey gibt es im keltischen Raum „eine gewisse [Artus-Sagen-] Tradition" [8], die „matière de Brétagne", auf deren (spätere?) weite Verbreitung z. B. das berühmte Nordportal des Domes von Modena hinweist: Skulpturen vielleicht vom Anfang des 12. Jahrh. (1125—1130) [9] mit den Namen Arthus, Isdernus (Yder), Galvaginus (Gawein) und „Che". In kymrischen Vers-Erzählungen (*Black book of Carmarthen, Book of taliesin*), die auf die „Zeit vor der normannischen Herrschaft" zurückgehen sollen [10] (was Hofer allerdings bezweifelt [11]), gibt es Gedichte, in denen der Name Ceis fällt. K. H. Jackson sagt darüber: „Arthur continues with the praises of Cei." [12] Ebenfalls positiv erscheint Keie in kymrischen Prosa-Erzählungen, z. B. im Mabinogi *Kulhwch ac Olwen*, das vielleicht aus dem 11. Jahrh., wahrscheinlich aber erst aus dem 13. Jahrh. stammt [13]: „frz. Einfluß ist zu deutlich", so daß die Beweiskraft für einen Einfluß auf Geoffrey oder Chrétien umstritten bleibt: „Cei . . . is hardly recognizable as the disagreeable character of later (?) romance" [14] und „Kei is presented as one of the greatest of Arthurs warriors".[15] Eine weitere wichtige Quelle für die Artus-Sage ist die Heiligen-Vita von St. Cadocus, allerdings unsicher datiert: 1070—1120 [16] oder 1170, in der „Arthurus und Helfer

---

[6] HOFER, ST., Chrétien de Troyes. Leben und Werk, Graz 1954, S. 32.
[7] EHRISMANN, G., Literaturgeschichte II, 2, 1, S. 134.
[8] BROGSITTER, K., Artus-Epik, Stuttgart 1965 (Sammlg. Metzler), S. 24.
[9] BROGSITTER, K., S. 28.
[10] Belege bei BROGSITTER, K., S. 26.
[11] HOFER, ST., S. 33.
[12] LOOMIS, R. S. (Hersg.): Arthurian Literature in the Middle Ages, Oxford 1959, S. 14 (ALMA).
[13] Belege bei BROGSITTER, K., S. 27.
[14] ALMA, S. 34.
[15] LOOMIS, R. S.: Arthurian Tradition and Chrétien de Troyes, New York 1949, S. 202.
[16] BROGSITTER, K., S. 25.

Cei" [17] auftreten. Wenn auch spät, so doch ebenfalls in positiver Bewertung Keies, weiß (unsichere) mündliche Tradition des 13. Jahrh. vom „ . . . good knight Queu" [18], und bretonische Lais kennen „ . . . the respectful treatment of keeiz . . .".[19] Im *Prosa-Lancelot* lenkt Keie die Abenteuerlust der Helden auf die Eroberung neuer Gebiete für den König; „er ist ein gewiegter Politiker im Interesse der königlichen Macht".[20] Für J. Marx ist denn auch „a l'origine" Keie „le défenseur de l'étiquette, le gardien du bien et de la table d'Arthur".[21] Nach Meyer-Lübke ist Keu (vor Chrétien) „der große Held (neben Artus)".[22]

Maria Binschedler bemüht die „starke keltische Phantasie" [23], um zu erklären, wie Keie Truchseß wurde (Geoffrey von Monmouth): Der Überlieferung zufolge überwältigt König Uter Pendragon mit Zauberhilfe Königin Ingerna, läßt seinen Sohn später fern beim edlen Ritter Antenor zusammen mit dessen Sohn Kei aufziehen. Von Antenor bekommt Arthur den Auftrag, sich lebenslang um seinen vom Schicksal weniger begünstigten Ziehbruder zu kümmern.[24] Hier wäre eine Möglichkeit, die enge Bindung zwischen Keie und dem König und die auffällige Duldung des „schwierigen" Truchsessen psychologisch aus ihrer gemeinsamen Erziehung ohne Mühe herzuleiten, ist aber jedenfalls von Chrétien oder Hartmann nicht benutzt worden.

Faßt man die zusammengetragenen, in Einzelheiten allerdings spärlichen, auch zum Teil unsicheren Belege zusammen, so entsteht in Grundzügen ein prinzipiell p o s i t i v e s Bild von der Keie-Figur v o r Chrétien. Keie ist durchweg ein treuer und tapferer Krieger, eine zuverlässige Stütze des Königs, auch ein höfischer, mit dem König gemeinsam erzogener Ritter.[25] Keine einzige (uns bekannte) Quelle zeigt wirklich negative Züge von Keie, wenn auch Loomis das behauptet „at a very early (?) stage" [26]; aber

[17] SPARNAAY, H.: Artikel ‚Artusroman', in: Reallexikon, Bd. I 1958, S. 106—17.
[18] ALMA, S. 63.
[19] ALMA, S. 115.
[20] MARX, J., a. a. O., S. 100.
[21] MARX, J., S. 100.
[22] MEYER-LÜBKE, W., [Über Chrétien], in: Z. f. frz. Spr. 44, 1917, S. 176—79.
[23] BINDSCHEDLER, M.: Die Dichtung um König Artus und seine Ritter, in: DVJS 31, 1957, S. 84—101.
[24] Kei als Ziehbruder des Artus z. B. im „Prosa-Merlin", ed. G. PARIS.
[25] LOOMIS, R. S.: Arthurian Tradition . . . , a. a. O., S. 154 f.
[26] Vgl. noch DRUBE, H.: Hartmann und Chrétien, Diss. Münster 1931, S. 81: „Im vor-chrétienschen Artus-Roman spielt Kei noch keine so klägliche Rolle".

Loomis wird unter anderem von Jackson, Hofer, Brogsitter (s. o.) wegen seiner oft zu früh angesetzten termini und einseitig „keltischen" Erklärung scharf kritisiert.

Erstaunt fragt man sich: Wie konnte es dahin kommen, daß nur wenige Jahrzehnte später die Keie-Gestaltungen des frühen höfischen Artus-Romans bei Chrétien und Hartmann (und Eilhart v. Oberge, s. u.) so betont negative Züge aufweisen? Die Vorstellung von der Keie-Gestalt scheint sich in dieser verhältnismäßig kurzen Zeit vollständig gewandelt zu haben.

Diese starke Veränderung, zum Teil die Umkehrung des ursprünglichen Keie-Bildes anzusehen als freie Erfindung, als dichterische Phantasie, die bei Chrétien allerdings eine gewisse Rolle spielen mag [27], verbietet der Begriff von „Dichtung" im Mittelalter [28]: „Der Kunstbegriff ist noch nicht abgegrenzt gegen denjenigen einer ebenfalls verstandesmäßigen Wissenschaft" [29], betont B. Boesch. „Originalität" im Sinne des Genie-Glaubens seit Mitte des 18. Jahrhunderts war nicht nur irrelevant, sondern unerwünscht; man fühlte sich fest in der Folge einer Tradition, dem Erbe der Antike und der späteren Jahrhunderte bruchlos verpflichtet, empfand sich als „Zwerg auf den Schultern von Riesen".[30] Dichtung war dem Mittelalter grundsätzlich geglaubte Wahrheit, indem sie sich auf die „Quelle" berief: *„Deist war, wan daz han ich gelesen"* (17896) genügt z. B. dem sonst durchaus nicht naiven Gottfried von Straßburg zur Begründung.[31]

Entsprechend vermutet man zunächst auch für die Keie-Gestaltung eine oder mehrere literarische Quellen. Um festzustellen, ob und wieweit das Truchseß-Amt die Keie-Figur in Mitleidenschaft gezogen haben könnte, müssen einige Beispiele für die an sich nicht häufige Truchseß-Darstellung in den wichtigsten Dichtungen des Hochmittelalters herausgegriffen werden. Im *Iwein* H a r t m a n n s klagt die unschuldig gefangen gehaltene Zofe Lûnete über Neid, Mißgunst, Hinterlist und brutale Gewalt des Truchsessen der Laudine:

---

[27] EMMEL, H., S. 13, und BROGSITTER, K., S. 42.
[28] Vgl. KÖHLER, E., a. a. O., S. 63, und CURTIUS, E. R., Europäische Literatur und Lateinisches Mittelalter, Bern 1948, S. 212 und 84.
[29] BOESCH, BR.: Die Kunstanschauung i. d. mittelhochdeutschen Dichtung, Bern und Leipzig 1936, S. 14.
[30] Dies berühmte Gleichnis u. a. bei Joh. v. SALISBURY, Metalogicus III, 4.
[31] Vgl. auch seinen bekannten Angriff auf Wolfram, *den vindaere wilder maere*, Tr. 4665.

> *die dri der gewalt ich dol,*
> *der ein ist truchsaeze hie,*
> *und sine bruoder, die mir ie*
> *waren nidec unde gehaz,*
> *wand mich min frouwe hat baz*
> *danne si mir iht gunden* (4110 ff.)

Im *Parzival* W o l f r a m s kommt u. a. Kingrun vor, der Truchseß des von Parzival besiegten, zum Artus-Hof geschickten Königs Clamide; er will Artus den Ruhm des Sieges nicht gönnen:

> *die Berteneise* [d. i. *Artus*] *ir lobes ris*
> *waenent nu hoch gestozen han:*
> *ân ir arbeit istz getan* ... (221, 26 ff.)

Kritisch, vielleicht auch neidisch, aber seinem König ergeben und realistisch: diese Mischung negativer und positiver Eigenschaften — wenn auch hier stark gemildert — stimmt mit dem Keie-Bild überein.

K o n r a d v. Würzburg, repräsentativ für die spätere höfische Dichtung, schildert in *Otte mit dem barte* einen recht bösartigen Truchseßen. Die großen Übereinstimmungen mit der Keie-Figur Wolframs (aus der Cunneware-Szene, vgl. Kap. IV) lassen allerdings vermuten, daß Konrads Truchseßen-Darstellung direkt von diesem literarischen Vorbild bestimmt ist. Ein junger Herzogssohn, *sam diu kint* (V. 65) wie Parzival, nimmt ein Stück Brot vom Tisch; zornig wegen dieser Lappalie *(in muote ein cleine dinc,* Vers 81) schlägt der Truchseß den Knaben blutig und verteidigt sich:

> *mir ist daz wol gemaeze,*
> *daz ich ungefüegen schelhen were*
> *unde ein iegelichen bere,*
> *der hie ze hove unzühtic ist.* (118 ff.)

Ähnliches Selbstbewußtsein, gleiches erzieherisches Ethos, Brutalität und Unbeherrschtheit besitzt die Keie-Figur bei Wolfram! (Kap. IV.)

Das N i b e l u n g e n l i e d zeichnet freilich ein in manchem anderes Bild vom Truchseßenamt. Rumolt, der Truchseß in Worms, ist *küen und getriuwe* (1517), aber nicht neidisch oder kritisch. Im Gegenteil: aus hausbackener Fürsorglichkeit will Rumolt die Nibelungen vom Ritt ins Hunnenland weglocken mit *in Öl gebratenen Schnitten* [32] und den Helden Ersatz schaffen:

---

[32] Vgl. Keie im *Parzival,* Kingrun-Szene (Kap. IV) und „Küchenhumor" (Kap. VIII).

ir sult mit guoten kleidern zieren wol den lip
trinket win den besten und minnet waetlichiu wip. (1467 f.)

Dieser seinen Herren treu ergebene „Küchenmeister" (1465) wird deutlich im Kontrast zum heldischen und kämpferischen Hagen gestellt, gerade weil beide die gleiche Absicht haben, die Fahrt zu verhindern. Rumolt denkt unheldisch an Lebensgenuß: ‚Wie sollte ich das wagen, was ich hier kann genießen?' (1473, B). Die heroische Geistesart des Nibelungenliedes reduziert den Truchseß zum biederen Küchenmeister und beschränkt ihn auf seinen häuslichen Kreis.[33] Eine historisch frühere, gleichsam „germanische" Stufe dieses Amtes wird dargestellt, einer der vielen Züge, die die Tendenz zum Archaisieren — bei gleichzeitiger Höfisierung — im Nibelungenlied zeigen. Die Gefolgschaftstreue Rumolts läßt keinen Amtsmißbrauch zu, wenn sich auch schon der Widerspruch gegen die Reise als Vorstufe dazu ansehen lassen. (s. u.)

Im Kreis der bedeutenden literarischen Werke des Hochmittelalters suchen wir schließlich auch in G o t t f r i e d s *Tristan* nach der Darstellung des Truchseßen: Der bösartige Feind Tristans, der ihm unermüdlich Fallen stellt, ist der *nidege* (13 637) Truchseß Markes, Marjodo. Ehemals gut Freund, hat die Entdeckung des heimlichen Liebespaares ihn verändert:

nu was daz allez underslagen
mit hazze und mit leide.
er haete an ir do beide
haz und leit, leit und haz
in muote diz, in muote daz. (13 600 ff.)

Neben diesem sehr negativ gezeichneten Truchseßen schildert Gottfried einen zweiten, ebenfalls bösartigen Truchseßen. Der Besitz der Königstochter Isot wird abhängig gemacht von der Beseitigung eines furchtbaren Drachen, den zu töten Tristan während seines zweiten Irland-Besuches im Geheimen gelingt. Auch der Truchseß des irischen Königs bewirbt sich:

so was ouch der truhsaeze da
eteswenne und eteswa
durch niht, wan daz man jaehe,
daz man ouch in da saehe,
da man nach aventiure rite,
und anders was ouch niht dermite,

---

[33] FR. PANZER weist nach, daß Wolfram diese Stelle gekannt haben muß: Vielleicht ist sein „positiv" verändertes Keie-Bild dadurch beeinflußt; in: „Vom ma. Zitieren", Sitzungsbericht der Heidelberger Akademie d. Wiss., 1950.

wan ern gesach den trachen nie,
ern kerte belderichen ie. (8955 ff.)

Feige flieht er vor dem schon von Tristan getöteten Drachen, würde aber gern skrupellos den Drachensieger erschlagen, wenn er ihn verwundet liegen fände. Den Drachenkopf schlägt er ab, eignet sich lügnerisch den Sieg an und prahlt groß mit seiner Tat. Wie Keie ist er aber ein Mann, *der nie saelde gewan* (9786), auch hier ist die Königin ihm *nie holt* (9935). Tristan überführt den hilflos hin und her Schwankenden mit der von ihm vorher abgeschlagenen Drachenzunge. Der *veige* (11 251), der *valsche* (11 283), der *lügenaere* (11 342): Die negativen Epitheta häufen sich. Der Höhepunkt der Verurteilung — vergleichbar mit der Keies — ist der höchst gesteigerte, triumphale Spott des Hofes (11 364 ff.).[34]

Die gleiche Szene schildert E i l h a r t von Oberge, auf anderen Quellen als Gottfried fußend, in seinem *Tristrant: ni vromigkeit* (1751) werden dem *zagin* (2214) Mann von der Hof-Gesellschaft bescheinigt. Der „Drachen-Truchseß" ist aber ebenfalls nicht der einzige in Eilharts *Tristrant*: Dreitausend Verse weiter hat Eilhart in sein Werk eine Artus-Szene (5213) mit dem „Helden" Keie eingeschoben, die Gottfried und (dessen Quelle) Thomas ausgemerzt haben.[35]

Die Artus-Ritter, zu Gast bei König Marke, wollen dessen Feind Tristan helfen; denn dieser verriet seine Liebe zur Königin Isot, als er nachts nichtsahnend in die von Marke vor Isots Bett listig aufgestellte eiserne Wolfsfalle tappte:

...und begunde bluten als ein swin. (5349)

Nur Keie, der sich bei Ankunft und Anmeldung als treuer Beamter seines Königs, ähnlich wie in Chrétiens *Erec*, ausgewiesen hatte, scheint listigen Rat zu wissen, aber sofort zeigt sich dabei auch seine Schmähsucht. Voller *gelf* (5392) verhöhnt er die vermeintliche Unhöfischkeit der anderen, denn wieder einmal fühlt er sich als einziger Bewahrer von Zucht und Ehre:

,ir meinet alle stolz sin
an welchen dingen ist daz schin?!'...
...daz sprach er mit gelfe. (5387 ff.)

---

[34] Das Motiv scheint verbreitet zu sein: PANZER, FR., in: Gahmuret, Quellenstudien zu Wolfr. Parzival, Sitzungsber. d. Heidelberg. Akad. d. Wiss. 1940, führt an aus dem *Joufrois*, hrsg. v. HOFMANN/MUNCKER, Halle 1880: „Ein von der Königin abgewiesener Seneschall verleumdet sie aus Rache und wird im Gerichtskampf getötet".

[35] Vgl. HOFER, ST., a. a. O., S. 105 ff.

Sein Rat ist gespickt mit Hinterhältigkeit:

> *... und rit in dorch nit*
> *einen rat, der was al gut.* (5393 f.)

,Wenn alle Ritter sich an der Wolfsfalle schnitten, könne der König Marke Tristant nicht überführen!' Der argwöhnische Gawein merkt wohl, daß Keie aus niedrigen Motiven handelt, daß er Böses will — und dennoch Gutes schafft, denn der Plan hat Erfolg. Keie, der *helt eine*, wie ihn Eilhart ironisch nennt, will sich „drücken":

> *mit listen (h)er al umme sleich.* (5411)

Den Feigling stößt daraufhin Gawein besonders kräftig in das Eisen, so daß er die *groste wunde* erhält. In komischer Mischung jammervollen Lamentierens und berechneter List schlägt Keie Lärm, daß Marke erwacht und *sich do schamete, daz ez in allin was geschen* (5456). Die Episode endet, wie sie begann: mit dem Blick auf Keie, dem ja diese „Wolfsfallen-Episode" auch recht eigentlich gehört:

> *do hank Keie allermeist.* (5459)

Diese Keie-Darstellung ist ungewohnt, sie ist bestenfalls mit der burlesken *Erek*-Szene zu vergleichen. Stellung, Funktion, Charakter Keies stimmen mit dem Keie des „höfischen" Romans im wesentlichen überein, aber es handelt sich hier nicht um einen ernsten Prestige-Kampf wie im *Iwein* oder im *Perceval*, nicht einmal um einen ritterlichen Zweikampf, wenn auch die Handlung im Grundriß mit der vertrauten „Keie-Niederlage" übereinstimmt. List, nächtliche Heimlichkeit und schwankhafte Komik sind die Elemente dieser Episode, in der Atmosphäre durchaus vergleichbar mit den „Drachen-Truchseß"-Szenen. Besonders auffällig ist die Übereinstimmung dieser Truchseß-Gestalten in bestimmten Charakterzügen: Hinterlist, Falschheit und Feigheit. Es ist vielleicht kein Zufall, daß von allen Keie-Figurationen nur der Keie Eilharts diese Züge dominierend besitzt: Wahrscheinlich hat das Auftreten eines im Typ sehr ähnlichen Truchseßen im selben Roman einen Einfluß auf die Keie-Figur ausgeübt.

Ein wichtiger Grund kommt hinzu: Noch unmittelbar vor Eilhart, dessen *Tristrant* um 1170 einer der frühesten Artus-Romane überhaupt ist, scheint das allgemeine Keie-Bild besonders negative Züge nicht zu enthalten (s. o.) — nun diese so singuläre, tiefgreifende Veränderung im Charakter der Keie-Figur! Der Schluß darf in diesem Fall wohl gezogen werden, daß die Keie-Figur Eilharts mit großer Wahrscheinlichkeit vom keltischen Typ des „Drachen-Truchseß" negativ beeinflußt worden ist.[36]

Es gibt analog dazu einen sehr ähnlichen Vorgang in der (unsicher datierten) kymrisch-keltischen Gral-Erzählung und in dem darauf fußenden Prosa-Roman *Perceval li Gallois*.[37] Hier sind diese beiden Ausprägungen des Truchseßen so nah zusammengerückt, daß sie vertauschbar werden: Arthurs Sohn (Llacheu) tötet einen Riesen (eine durchsichtige Variation des „Drachen") und fällt in Schlaf (wie Tristan). Nun ist es auf einmal Keie, der herbeischleicht, den schlafenden Helden erschlägt[00] und des Riesen Haupt als Trophäe an Arthurs Hof bringt.[39] Die innere Verwandtschaft und höchstwahrscheinlich auch die (gegenseitige?) Beeinflussung dieser Truchseßtypen findet hier eine überraschende Bestätigung.

Nachträglich fällt auf die Keie-Figur in Hartmanns *Erek* ein neues Licht. Keie besitzt dort einen Charakter-Zug, den er in Chrétiens *Erec* nicht hat, was nicht weiter auffiele, wenn es nicht gerade diese, allerdings nur angedeuteten Eigenschaften der Feigheit, Hinterlist und Täuschungsabsicht wären wie sonst nur bei Eilhart oder dem Drachen-Truchseß: Erek gefangen an den Hof zu führen und dessen Wunden als von ihm geschlagen auszugeben und damit zu prahlen (s. o., *Erek* 4630). Die umstrittene Frage der *Mabinogion*, das Problem einer, neben Chrétien, zweiten (niederrheinischen)[40] Quelle für Hartmann hat sich zwar an den beträchtlichen Abweichungen[41], vor allem des *Erek*-Schlusses, entzündet, die sich Hartmann „im Normalfall", kennzeichnend für ihn als Wort und Wert, nicht gestattet, aber bei der Lösung dieser schwierigen Frage können vielleicht nur bisher unbeachtete, doch auffällige Details weiterhelfen.[42]

---

[36] Vgl. Ruh, K., a. a. O., S. 100.

[07] *Perceval li Gallois* (Potvin I, 120), *Perslesvaus* 1191—1212, vgl. ALMA, a. a. O., S. 268.

[38] Vgl. Marx, J., a. a. O., S. 100: „enfin le meurtrier par traitrise du fils d'Arthur Lohelt".

[39] Rhys, J., Studies in the Arthurian Legend, Oxford 1891, zit. bei Hertz, W., Anmerkg. z. Tristan-Übersetzg., S. 530.

[40] U. a. Zwierzina, K., Z. f. dt. A., 45, 1901, S. 322 ff., auch Sparnaay, H.: Hartmann v. Aue, Halle 1933, S. 122.

[41] Vgl. dazu: Naumann, H., Einleitg. z. Hartmann-Ausg., Leipzig 1933, S. 13. Gutenbrunner, S.: Über die Quellen der Erec-Saga, Archiv f. d. Stud. d. n. Spr. 190, 1953, S. 1—20.

[42] Auch Ruh, K. bezieht sich auf die Keie-Figur, wenn er annimmt: „daß Hartmann Kenntnisse arthurianischer Literatur aus diesem (niederrheinischen) Raum hatte", a. a. O., S. 107.

Man darf zusammenfassen: Das Truchseß-Bild in den wichtigsten höfischen Romanen erscheint generell, selbst noch bei Wolfram, als umstritten, kritisiert, mehr oder weniger negativ. Eine gegenseitige Beeinflussung ist nur in einigen Fällen deutlich erkennbar, z. B. bei Konrad von Würzburg oder beim offensichtlich weitverbreiteten „Drachen-Truchseß". Man wird von der Literatur auf die Wirklichkeit verwiesen, auf die geschichtliche Wirklichkeit dieses Amtes an den Höfen des zwölften Jahrhunderts, die sich gespiegelt haben muß in der so gleichmäßig negativen literarischen Truchseßen-Auffassung in den z. T. weit voneinander entfernten Werken. Ungewöhnlich wäre eine solche Spiegelung nicht: Die gesellschaftlichen Zustände und Details der Hof-Realität treten selbst in der irrealen Romanwelt des Märchenkönigs Artus oft scharf belichtet hervor.

Eine auf historische Fakten und Dokumente gestützte Gesamtdarstellung dieses Hof-Amtes können und wollen wir freilich nicht geben, aber alles das herausfiltern, was an der durchweg angesehenen Stellung des Truchseßen heikel und umstritten, auch gefährlich schien. Uns interessiert vor allem der Eindruck im gesellschaftlichen Bewußtsein, die konventionelle, vielleicht auch klischeehafte Vorstellung vom Amt und seinen Trägern.

Überblickt man die historische Entwicklung dieses Amtes, so kann man zusammenfassend von vornherein sagen, daß im gesamten Mittelalter die Gefahr des Mißbrauchs, der ungerechtfertigten Machtusurpation bestand. Der Grund liegt in der Schlüsselstellung des Truchseßen, die vielleicht zu vergleichen ist mit der heutigen Position eines Wirtschafts- und eines Finanzministers zugleich. Besonders die alleinige Kontrolle über die Staatsfinanzen begünstigte wie eh und je den Machtmißbrauch, sei es nun auf Kosten des Adels oder des Königs.

Im frühen Mittelalter war, im germanischen Bereich, der *truht-sazzo* [43] zunächst derjenige, „der das Gesinde setzt", einteilt, und entsprechend im fränkisch-merowingischen Raum der *seniscalus, seni-skalk* der „Älteste der Knechte". Die unklare Trennung zwischen Haus-, Hof- und Staatsdienst bei den Merowingern begünstigte aber mehr und mehr die Machtaufschwellung zum „major domus", der auch die Verwaltung des Königs-Gutes, die Erhebung und Verwendung der Einkünfte und Steuern „kontrollierte": Einem Majordomus wurde z. B. vorgeworfen, daß er — das Recht des Fiscus zu sehr ausbeutend — „listig die Kasse [zu füllen] . . . und sich zu bereichern suchte" [44], ein anderer forderte unerschwingliche Zahlun-

---

[43] *truht-sazzo*, jan-Stamm: nomen agentis: „der das Gesinde setzt".
[44] WAITZ, G.: Deutsche Verfassungsgeschichte 2, 2, Berlin 1882, S. 92 f.

gen für die Zuteilung von Ämtern; auch Bestechung wird häufiger vorgekommen sein[45]. Diese alte Erfahrung findet wohl ihren Niederschlag in Eilharts *Tristrant*: Der „Drachen-Truchseß" droht und lockt mit seiner finanziellen Machtposition (*ich mache iuch alle riche*, 1705). Das beste Beispiel schließlich für die Machtansammlung ist der Untergang des Merowingerreiches durch den eigenen Majordomus Pippin.

Durch Erfahrung gewitzigt wurde seit der Karolingerzeit die Machtfülle des Majordomats wieder beschnitten, es einerseits zum Ehrenamt für den Hochadel, andererseits zum kontrollierbaren Hof-Amt des (alten) „Seneschalk" reduziert, der auch speziell als "regiae mensae praepositus", als Küchenmeister für den Unterhalt des Hofes sorgte. Diese ältere Phase ist wahrscheinlich im Rumolt des Nibelungenliedes festgehalten und vielleicht auch von Wolfram reaktiviert, bei dem Keie selbstbewußt verkündet: *di küche ist mir undertan* (206, 26).

Die latente Gefahr dieses Amtes kam aber seit dem 11. Jahrh. wegen der in Deutschland vorwiegend jungen und — was oft identisch war — schwachen Könige wieder zum Durchbruch: Die Machtposition des Truchseß wucherte erneut auf. In Frankreich begünstigte die noch schwache Zentralgewalt des Königshauses einen ähnlichen Machtaufschwung: „Seit den siebziger Jahren des 11. Jahrhunderts tritt er aus dem Rahmen eines Hofamtes heraus und wird zu einer Art Vizekönig. Erst seit 1191 — [alle Artus-Romane Chrétiens sind bereits erschienen!] — bleibt das Amt endgültig unbesetzt — ähnliche Entwicklung in England".[46] Der Hofadel hatte am stärksten unter diesem Machtzuwachs des Truchseß-Seneschalls zu leiden [47]: „Den strengen Gebieter und besonders den, welcher rücksichtslos [wie Keie] über Ämter und Güter verfügte, haßten sie."[48] Da Chrétien unter der Perspektive der Hofaristokratie sieht und schreibt, ist es erklärlich, daß er sich diese Truchseßen-Vorstellung zu eigen machen konnte: Dieses Amt war psychologisch belastet; jeder Truchseß hatte mit Vorurteilen zu kämpfen — selbstverständlich, daß man auch dem Truchseß in der Literatur von vornherein Übles zutraute. Es leuchtet jetzt ein,

[45] Dem mächtigen Truchseß Adalhard wurde der Vorwurf gemacht, „Reichsgut zu verschleudern", in: Waitz, G., a. a. O., S. 93.
[46] Hoops, J.: Reallexikon d. germ. Altertumskunde, Bd. 2, 1913—15, S. 458, vgl. Köhler, E., a. a. O., S. 17: „Aufhebung der hohen feudalen Hofämter durch Phillip-August 1185/1191".
[47] Vgl. auch Prutz, R., a. a. O., S. 10: „Der Inhaber dieses Amtes scheint beim Hofgesinde selten beliebt gewesen zu sein".
[48] Waitz, G., a. a. O., S. 98.

daß die Keie-Figur von diesei Seite her in Mißkredit kommen konnte. Das Keie-Bild war den impliziten Möglichkeiten der Verzerrung ebenso ausgesetzt wie es die Vorstellung von diesem Amt im gesellschaftlichen Bewußtsein des 12. Jahrhunderts war. Wirklichkeit und Literatur werden sich hier kaum unterscheidbar gegenseitig beeinflußt haben. Die historisch-gesellschaftliche Truchseßen-Vorstellung diente einerseits der Keie-Sicht als Basis, weil Keies Existenz wesentlich die des Truchseßen ist, andererseits wird die negative literarische Darstellung Keies Vorurteile des adligen Publikums bestärkt oder geschaffen haben. Keie wird zum Typ des kritisierten Truchseßen, dem man überall wieder zu begegnen glaubt. Wieder einmal „spielt die Dichtung dem Leben vor" (Hugo Friedrich).

Exkurs:
Keie als merkaere

An zentraler Stelle, bei der entscheidenden positiven Umdeutung des bisherigen Keie-Bildes, nennt Wolfram Keie einen *merkaere:*

> *ich gihe von im der maere,*
> *er was ein merkaere.*[1] (297, 5 f.)

Diese Bezeichnung überrascht in verschiedener Hinsicht: Wir kennen diesen Begriff *merkaere* im Grunde nur aus dem Minnesang[2], einer inhaltlich und formal völlig anders gearteten Gattung. „Im gleichzeitigen Epos wird das Wort fast ganz gemieden."[3]

Merkwürdiger noch als dieser „Sprung" in einen gattungsmäßig so streng geschiedenen Dichtungsbereich ist die Tatsache, daß Wolfram dieses Wort offenbar zur p o s i t i v e n Kennzeichnung verwendet. Im Minnesang wird es negativ benutzt; es dient dort der Abwertung und Beschimpfung eines bestimmten Menschentyps. Aber selbst auf die im ganzen negativen Keie-Figuren von Wolframs Vorgängern paßt dieser Begriff *merkaere* nur zum Teil, vor allem die gesellschaftlichen Funktionen des *merkaere* des Minnesangs scheinen bei erstem Hinschen in einem von Keies Aufgabenfeld deutlich unterschiedenen Bereich zu liegen.

Der *merkaere* des Minnesangs ist der Störenfried, der sich in die *tougen minne* zweier Liebender, des Sängers und der zumeist verheirateten Dame[4] hineindrängt, ihre Beziehung womöglich zu verhindern, jedenfalls zu stören versucht. Ob dieser Eindringling nun ein vom Ehe-Herrn bestellter Spitzel und Denunziant oder ein von Eifersucht geplagter Nebenbuhler oder ein Ordnungshüter in allgemeinerem Sinn war, ist schwer festzustellen, denn er bleibt anonym[5], durchaus typenhaft, der Gattung des Minnesangs gemäß. Motive und Personenkreis sind zunächst auch gleichgültig, denn die Liebenden empfinden sein Auftreten in immer glei-

---

[1] vgl. a. im *Garel* (v. 600) des Pleier.

[2] vgl. dazu WECHSLER, E.: Das Kulturproblem des Minnesangs, Halle 1909, S. 201—203.

[3] ROSENHAGEN, G. u. SIMON, W.: Artikel ‚Merker' i. Reallexikon d. dt. Lit.-gesch., Band II, S. 301.

[4] KOLB, H.: Der Begriff der Minne und das Entstehen der höfischen Lyrik, Tübingen 1958, S. 117: „Tatsache, daß die Minne des höfischen Sängers einer verheirateten Frau dargebracht wird."

[5] Vgl. dazu KOLB, H., S. 370.

cher Weise als Störung, als lästiges Aufpassen, Kontrollieren und Denunzieren: als *huote;* sie erleben es als Haß und Mißgunst, als *nît* eines Menschen, der für die Liebenden zum *lügenaere* (prov. *lauzenjador*), zum *klaffaere* wird, den man verachtet und verflucht. „Der ‚nît‘ ist das gemeinsame Band, das sie alle drei ... zusammenschließt: den ‚lügenaere‘, den ‚merkaere‘, die ‚huote‘.“ [6]

Stereotyp erklingen die Klagen, vor allem im älteren Minnesang:

> *die merker und ir nit* [7] (Der Kürnberger)
> *so we den merkaeren*
> *die habent min übele gedaht* [8] (Meinloh von Sevlingen)
> *daz nident merkaere* [9] (Burggraf v. Regensburg)
> *die nidegen* [10] (Heinrich v. Veldecke)

Die Verachtung erwächst besonders aus dem Gefühl der Überlegenheit dessen, der das Wissen um *rehte minne*, d. h. zugleich um höfische Lebensform besitzt. Der *merkaere* ist der Minne-Fremde, weil er dieses zentrale Erlebnis des ritterlich-höfischen Menschen stört, und wird damit zum prinzipiell Unhöfischen.[11] Der *nît* erhält seine tiefste Begründung, andererseits seine heftigste Ablehnung durch die Minnesänger aus diesem negativen Bezug zur Minne heraus. Allerdings wird derjenige, der von der Minne getroffen ist, in psychologisch einsichtiger Reaktion j e d e dritte Person stets als Störung empfinden und wird darum schon Gleichgültigkeit und Kühle eines Außenstehenden negativ deuten, es immer als „Gezeter strenger Greise“ [12] abtun wollen. Der deutsche Minnesang bietet also vom *merkaere* das durchaus typenhafte Bild eines anonymen Tugendwächters und Minne-Spions mit den wenigen, aber ausgeprägten und feststehenden Merkmalen der Mißgunst, des Hasses, der Verleumdungsabsicht und einer Unhöfischkeit im tiefsten, die ihn der Verachtung preisgibt.

Vergleicht man nun mit diesem *merkaere*-Bild die klassische negative Darstellung der Keie-Figur (bei Chrétien und Hartmann), so stimmen beide in wesentlichen Charakter-Eigenschaften überein: Auch Keie ist mißgünstig,

---

[6] KOLB, H., a. a. O., S. 368.
[7] Minnesangs Frühling, hrsg. v. KRAUS, C. v., 30. Aufl. 1950, 7, 24.
[8] Ebd. 3, 14 (32. Aufl.).
[9] Ebd. 16, 19.
[10] Ebd. 61, 10.
[11] Vgl. KOLB, H., a. a. O., S. 197, 198.
[12] Schon bei Catull, c. 5: vivamus, mea Lesbia, atque amemus rumoresque senum severiorum ...

gehässig und verleumderisch, auch er (nahezu prinzipiell) unhöfisch vor allem, weil er das Wesen der Minne nicht kennt.[13] Zwei wichtige Unterschiede bestehen aber: Keie ist nirgends in einer Minne-*huote*-Situation anzutreffen, und aus der üblichen Anonymität des *merkaere* tritt er als wohlbekannte, sogar sehr individuell ausgestaltete Persönlichkeit heraus.

Um diese Gemeinsamkeiten und Widersprüche zu erklären, ist es theoretisch zwar möglich, daß Wolfram die Übertragung des *merkaere*-Begriffes auf Keie unkritisch vornahm, weil er von der bestechenden Charakter-Analogie verführt wurde, aber diese Möglichkeit ist unwahrscheinlich: Zu betont und bestimmt ist sein Urteil gerade an dieser Stelle. Wenn man Wolfram keine Ungenauigkeit vorwerfen will, muß man annehmen, daß der *merkaere*-Begriff nicht nur von der Minne-Lyrik her zu verstehen ist, sondern daß man ihn durch Erscheinungen der gleichzeitigen höfischen Epik erweitern und vertiefen muß. Die bisher aufgetretenen Widersprüche lösen sich bei diesem Versuch auf überraschende Weise.

Die Anonymität des *merkaere* im Minnesang gehört zum Typ dieser Gattung: Die wenigen auftretenden Personen bleiben in gleichem Maße exemplarisch und un-individuell, wie das Minneverhältnis stilisiert und der Liebesbegriff überindividuell ist.[14] Der höfischen Epik dagegen entspricht diese Typik nicht: Die in der Lyrik nur momentan beleuchteten Minne-Situationen werden hier in Handlung, Raum und Zeit auseinandergefaltet und damit wird der anonyme, exemplarisch Minnende zur Person mit Name und Schicksal. In gleichem Maße werden in der Epik die schattenhaften „dritten Personen" des Minnesangs faßbar: Der bösartige Zwerg Melot stellt Tristan und Isold unermüdlich Fallen, der enttäuschte Truchseß Marjodo[15] verfolgt sie mit seinem Haß. Der neidische Nebenbuhler Ritschier im *Engelhard* des Konrad von Würzburg ist ebenso ein *tugentloser wiht* (1694) wie der eifersüchtige „Drachen-Truchseß" bei Eilhart und Gottfried.[16]

Anonymität und Personenhaftigkeit sind demnach nur Schein-Gegensätze, bedingt durch den verschiedenen Gattungscharakter von Minne-Lyrik und höfischer Epik. Die *merkaere*-Figur tritt in der höfischen Epik also durch-

---

13 Vgl. Kap. V.
14 KOLB, H., a. a. O., S. 199: „Die ‚dritten Personen' haben teil an der Typik und dem Exemplarischen, dem die beiden Liebenden in der Minne-Lyrik unterworfen sind."
15 Vgl. Kap. IV.
16 Z. B. Tristan, v. 8954 ff.

aus in Erscheinung, in gleicher Funktion wie im Minnesang, allerdings weniger häufig. Aber auch dieser Unterschied der Häufung dürfte gattungsbedingt sein: Die Lyrik wiederholt und variiert unermüdlich die immer gleiche Minne-Situation und -Hinderung; für die Epik ist die Liebe dagegen nicht das einzige Thema, die *aventiuren*-Bewährung und ritterliche Selbstdarstellung drängen oft die Frauenliebe in den Hintergrund. Wo die Liebe zum Zentralthema wird wie im *Tristan*, häufen sich auch sogleich die *huote*-Situationen, *merkaere*-Figuren (s. o.) und deren Ablehnung durch den Dichter.[17]

Die zweite Schwierigkeit der Keie- und *merkaere*-Identifikation: die Bezogenheit des *merkaere* im Minnesang allein zu Minne und *huote* ist also in ähnlicher Weise zu erklären aus der speziellen Thematik der Minne-Lyrik: Der Sänger ist zugleich der Liebende, er beschäftigt sich nur mit dieser Liebe und überblickt auch nur den Bereich, der mit dieser Liebe zu tun hat, so daß alle etwaigen übrigen Tätigkeiten und Wesensbereiche des *merkaere* über seine Stör-Funktion hinaus in der Lyrik ausgespart bleiben.

In der gesellschaftlichen Wirklichkeit an den Adelshöfen des 12. Jhdts. scheint denn auch der *merkaere* ein beträchtlich größeres Aufgabengebiet besessen zu haben; in Umrissen wird deutlich, daß es ein Amt mit einer Fülle von Tätigkeiten war, zuerst bei den Provencalen faßbar, die den *merkaere* den *gardator* (von germ. *wardan*) nannten.[18] Aus der ursprünglichen Dienstleistung der Bauern für den Grundherrn wurde allmählich ein festes Hof-Amt, im 12. Jahrhundert bald mit einer Reihe von speziellen Aufgaben versehen: Der *merkaere* oder *gardator* war ein Aufsichtsführender, war betraut mit Verwalter-Aufgaben und übte auch gerichtliche und exekutive Funktionen aus (z. B. auch Testamentsvollstrecker). Kolb betont den „Grundzug des Aufsichtsführens, des Überwachens, des Kontrollierens, des sich Einmischens in persönliche Angelegenheiten".[19] Nach Seibold ist es ebenfalls „ganz sicher . . ., daß [Minne]-*huote* und *merkaere* anfänglich nicht zusammengehörten".[20]

Die *huote*, das Hindern und Stören eines Minne-Verhältnisses, erscheint als eine zwar wichtige, aber keinesfalls ausschließliche Tätigkeit des *merkaere*. Es ist dies nur ein spezieller, aus der Sicht des Minne-Sängers

---

[17] Z. B. Gottfried im Tristan, v. 13793 ff.
[18] Vgl. KOLB, H., a. a. O., S. 368.
[19] KOLB, H., S. 370.
[20] SEIBOLD, L.: Über die ‚huote', Germ. Stud. 123, 1932, S. 28. Vgl. a. S. 25: „es war nicht nötig, daß Nebenbuhlerei um Frauen-Minne diesen ‚nit' erregte; jede bessere Behandlung des andern konnte Anlaß sein."

erklärlicher Aspekt eines Amtes, dessen volle Breite erst in der höfischen Epik — an allerdings nur wenigen Beispielen — sichtbar wird. In diesem allgemeinen Sinn ist dann auch Keie durchaus als *merkaere* aufzufassen.

Der *merkaere* des Minnesangs und der Truchseß Keie sind beides Ausformungen des Kritikers, Aufpassers und Tugendwächters. Ihre verschiedenen literarischen Erscheinungsweisen haben zur gemeinsamen Basis eine gleiche gesellschaftliche Wirklichkeit. Die Charakterisierung der gesellschaftlichen Stellung des *merkaere* im Minnesang hat ohne weiteres auch Gültigkeit für die Position des Truchseßen Keie: „Eine Figur des politischen und sozialen Ärgernisses ... mit den typischen Eigenschaften des Ungebildeten, des Bäurischen, des Unliebenswerten, des Neides und des Hasses." [21]

Den Keie Chrétiens, Eilharts und Hartmanns und ebenso den *merkaere* im älteren Minnesang treffen Ablehnung und Verachtung in einer Zeit, in der die Überlegenheit und prinzipielle Idealität des „höfischen" Lebensstils noch unbezweifelt war. W o l f r a m s Gesellschafts-Sicht ist bereits wesentlich skeptischer (s. o.): Kritisch hält er den Verfallserscheinungen der höfischen Gesellschaft darum den „guten merkaere" entgegen. Keies Position wird umgewertet, sein Charakter aufgehellt:

> *partierre unde valsche diet*
> *von den werden er die schiet* (297, 9 f.)

Entsprechend ändert sich die Bewertung des *merkaere* im späteren Minnesang: U l r i c h von Lichtenstein [22] kennt neben dem Merker alten Typs:

> *unwerdez merken ... und huot in nide,*
> *den zwein trag ich haz*

auch den „guten" *merkaere*:

> *unvalschlichez merken, seht, daz ist ein pris*
> *von güetlichem merken wird man eren wis,*

ebenso wie Hadamar von Laber [23] schlechte („Wölfe') und gute Merker unterscheidet. Diese gleiche Entwicklung der Bewertungen von Keie und dem (Minnesang-)*merkaere* deutet ebenfalls auf eine allgemeine (wenn auch vielleicht nicht spezielle) Übereinstimmung ihrer gesellschaftlichen Funktionen hin. Beide drängen auf Begrenzung und Einordnung des Einzelnen in ein genormtes, gesellschaftlich-konventionelles Verhalten.

Die Vermutung liegt nahe, daß eine jede Gesellschaft, die sich in einer

---

[21] Kolb, H., a. a. O., S. 370.
[22] Lied XVIII, 8—12, Lachmann 408, 6—10.
[23] „Die Jagd", Str. 132—134 und 407—410, hg. v. Stechskal, K. (1880).

bestimmten Ordnung formiert und sich an einem postulierten Ideal aus-
richtet, eine Verwirklichung des „Tugendwächters" benötigt, und sei es nur,
um sich in dieser Kontrast-Figur selbst zu bestätigen.

Der *merkaere* und die besprochenen Truchseß-Typen der mittelalterlichen
höfischen Kultur, der *raqib* [24] der arabischen Welt, der *custos puellae*
Ovids [25] und der Thersites Homers sind einige Formen dieses — wie es
scheint — überzeitlichen Typs des „Aufpassers" und Merkers, verschieden
bewertet je nach der Gesellschaftsstruktur, aber ähnlich in ihrer gesellschaftlichen Funktion und Kontraststellung.

Besonders frappant sind die Übereinstimmungen zwischen T h e r s i t e s
und Keie sowohl in Charakter und Tätigkeit wie in ihrer Funktion in einer
ähnlich strukturierten, aristokratisch-elitären Gesellschaft.[26] Die Thersites-
Szene ähnelt zwar nicht in ihrem konkreten Verlauf, wohl aber in der
Typik der Motive und Elemente (ungerechtes Schmähen, Bestrafung, Zerknirschung und Lächerlichkeit) so sehr der Keie-Szene, daß sie zum Vergleich zitiert werden soll [27]:

Bald nun saßen sie da, geordnet in ruhigen Reihen.
Nur noch Thersites allein schrie immer mit blödem Geschwätze.
Wußte er ja doch stets genugsam schimpfende Worte
frech und wider Gebühr, um mit den Herrschern zu zanken,
wann ihm nur etwas im Volke von Argos lächerlich dünkte . . .
. . . Also keifend beschimpfte Thersites den Hirten der Völker,
Atreus Sohn. Doch es nahte ihm schnell der hehre Odysseus:
Finster sah er ihn an und verwies ihn mit heftiger Strenge
„Schweig, du törichter Schwätzer, Thersites, du tönender Redner!
. . . wage von Königen nicht mit deinem Maule zu reden,
uns mit Geläster zu schmähn, um selber nach Hause zu kommen!"
Sprachs und hieb mit dem Szepter ihn hart auf Rücken und Schulter,
daß er sich krümmte und bog und quellende Tränen ihm rannen . . .
da setzte er zagend sich nieder,
weh, verlegenen Blicks und wischte die Tränen herunter.
Aber die andern (so sehr sie bekümmert) verlachten ihn sehr.

---

[24] Vgl. ECKER, L.: Arab., prov. u. deutscher Minnesang, Bern 1934, S. 22—42.
[25] Zit. bei KOLB, H., a. a. O., S. 370.
[26] FRIEDRICH, W.: Fischer-Lexikon 35, 1, Frankfurt 1965, S. 40: „Wenige Kon-
trast-Figuren abgerechnet, treten nur Edle, ‚Heroen' auf; die für die Handlung
maßgebenden Götter sind ebenfalls eine Elite."
[27] Homer: „Ilias", 2. Gesang, übersetzt von TH. von SCHEFFER, Leipzig 1938,
S. 33 ff.

V. Die Keie-Figur in der höfischen Gesellschaft

Keie mit einer spezifischen Funktion in der Gesellschaft des Artus-Hofes: Das hatte Wolfram am klarsten herausgearbeitet. Aber auch Hartmann hatte, bei allem Interesse an der interessanten „Persönlichkeit" Keies, diese Beziehung nicht vernachlässigt, sie jedenfalls im Vergleich zu Chrétien noch betont. Allerdings sind die Aspekte und Wertungen der Stellung Keies bei Hartmann und Wolfram diametral entgegengesetzt; Wolfram hatte nie die Auffassung etwa der Königin im *Iwein* geteilt:

> daz du [K.] den iemer hazzen muost,
> deme dechein êre geschiht (140 f.)

Gemeinsam aber ist der hochhöfischen Artus-Epik, daß sie Keie vom Rand des Geschehens hereinholt in eine zentrale F u n k t i o n in der gesellschaftlichen Öffentlichkeit. Die *êre* wird zum Generalthema: êre ist im Mittelalter als Wert gerichtet auf eine normgebende Gesellschaft, die dem Einzelnen die *êre*, die Anerkennung, das Ansehen zuerteilt [1]; „honestas", persönliche Ehrenhaftigkeit, ist dabei, stillschweigend fast, vorausgesetzt [2]: Aller Akzent liegt gleichsam auf der „Außenseite" dieses Begriffs. *êre* bedeutet also die gesicherte, unangefochtene Einbeziehung des einzelnen Ritters in die aristokratische Gemeinschaft, deren Legitimation zum Urteil er nicht anzweifelt; sie ist einer der wesentlichen, immanenten Zielvorstellungen, die das europäische Rittertum seit der Mitte des 12. Jhdts. ausbildete, und die höfische Literatur dient — neben ihrem ewigen Zweck des „delectare" — dazu, diese Vorstellungen zu exemplifizieren. Vor allem die aufsteigende, breite Schicht der „Ministerialen" achtete streng und eifrig (wie jeder „homo novus") [3] auf den Werte-Kodex, der normative Geltung erlangte. Das Zusammenwirken von *chevalerie* und *clergie*, wie es Chrétien vorschwebt [4], macht diese sich konstituierende Gesellschaft zu

---

[1] Vgl. MAURER, FR., Leid. Studien zur Bedeutungs- und Problemgeschichte, Bern/München 1951, S. 11 f. oder EMMEL, H., Das Verhältnis von êre und triuwe im Nibelungenlied und bei Hartmann und Wolfram, Frankfurt 1936, S. 30 f.

[2] Vgl. RUH, K., Höfische Epik des deutschen Mittelalters I, Berlin 1967, S. 12.

[3] HAUSER, A., Sozialgeschichte der mittelalterlichen Kunst, rde, Hamburg 1957, S. 80.

[4] Prolog des *Cligès*, v. 31 f., vgl. a. HAUSER, A., S. 84 u. KÖHLER, E., a. a. O., S. 37 f.

einem „ordo" mit ritterlich-militantem Elite-Bewußtsein [5] und zugleich auch mit höfischer Konvention und kultureller Ambition.

Man muß sich aber immer darüber im klaren sein, daß es sich um Ideal-Vorstellungen handelt, die die höfische Literatur und das didaktische Schrifttum ausbilden und zur Forderung erheben. Eine „Ideologie" eines Standes wird ausgeformt, nach der sich die Realität zu richten hat, ein Verfahren, das völlig in Einklang steht mit der (vorwiegend) platonistisch-idealistischen Denkhaltung der kulturell führenden Schicht des 12. Jhdts. Wenn in unserer Untersuchung künftig von „Gesellschaft" die Rede ist, handelt es sich um das literarische, d. h. überhöhte Bild, das wohl nur in wenigen Fällen von der historischen Wirklichkeit eingeholt wurde und nur partiell ein Abbild einer realen, existierenden Hof-Gesellschaft war. Eine Behandlung dieser „Überbau"-Phänomene aber würde den Rahmen dieser Untersuchung sprengen, ist auch zum großen Teil von anderer Seite bereits geleistet.[6]

Die „Gesellschaft", wie sie der höfische Roman darstellt, ist in ihrer Struktur durch ein eigentümlich gespanntes Verhältnis von individueller u n d „gemeinschaftlicher" Zielrichtung gekennzeichnet [7]. Die Untadeligkeit jedes Einzelnen und seine Einordnung in die gesellschaftliche Norm-Fixierung muß diese Gesellschaft fordern, damit sie sich selber immer wieder als „elitäre" [8] bestätigen kann: in der Artus-„Tafelrunde", im Kreis (theoretisch) gleichgestellter, auserwählter Ritter. Das Dilemma dieser Forderung besteht nun darin, daß *ére* und Legitimierung eines Ritters nur möglich wird, wenn er sich als Einzelner auszeichnet, d. h. sich aus der Gemeinschaft heraushebt und isoliert, auf sich gestellt auf *aventiuren* zieht. Diese innerlich notwendige Isolierung des Einzelnen in seiner nur ihm zukommenden Heldentat will aber nun niemand anders als Keie verhindern. Er handelt in der Theorie ganz im Sinne des Gesellschaftlich-Normativen, wenn er die Integration des einzelnen Ritters in die Artus-Gemeinschaft betreibt. „Er tritt gerade dem entgegen, der sich aus der Gruppe der

---

[5] Wolfram: *schildes ambet ist min art,* Parz. 2. B., Anhang v. 11, vgl. über den „ordo"-Begriff KÖHLER, E., a. a. O., S. 36 u. 77.

[6] Vorstellung und Kategorien vor allem von ERICH KÖHLER, Ideal und Wirklichkeit, a. a. O., dem diese Untersuchung sehr viel verdankt.

[7] KÖHLER, E., S. 80: „die vorausgehende Trennung von Individuum und Gemeinschaft."

[8] Über den ritterlichen „Führungsanspruch" vgl. KÖHLER, E., S. 39.

Ritter heraushebt"[9]: Er will Erek an den Artushof zwingen; er greift im *Iwein* sowohl Calogreant wie Iwein an, die sich vor der Artus-Runde hervortun möchten und bestraft im *Parzival* das Edelfräulein für ihr (scheinbar) exzentrisches Benehmen. Aus der gesellschaftlichen Perspektive, und nur aus dieser[10], müssen das für Keie „Akte der superbia" sein. Im ideellen Sinn ist Keie nicht ohne Recht, das erkennt vor allem Wolfram, aber durch die dogmatisch-unangenehme Übertreibung seiner Funktion verscherzt er sich die Unterstützung durch die Gesellschaft, obwohl er deren innerster Intention folgt. Er disqualifiziert sich in der Praxis durch sein Benehmen selber in seinem Anspruch, der kritische Bewahrer von *tugent* und *êre* bei Hofe zu sein. Die D i a l e k t i k von Keies Verhalten besteht also darin, daß er die Isolierung des nach *êre* strebenden Ritters (Roman-Helden) verhindern will, durch Übertreibung und charakterliche Nichteignung aber selber in die Isolation gerät, wie z. B. in Chrétiens „Pfingst-Szene" im *Perceval*. Indem er gegen individualistische Heraushebung zu Felde zieht, verfällt er ihr selber. Seine Paradoxie besteht in der Diskrepanz von Anspruch und Realität, ein Konflikt, der tragisch wie komisch gelöst werden könnte: Im Falle Keies führt er zur K o m i k (vgl. Kap. VIII); die Möglichkeit einer Don Quijote-Satire auf das elitäre Bewußtsein des Ritterstandes liegt in der Keie-Figur verborgen, konnte aber im Mittelalter aus verschiedenen Gründen nicht genutzt werden (s. u.). Die objektive Ironie in der Keie-Figur ist darin zu sehen, daß Keie eine Wirkung erzielt, die er gerade verhindern wollte: Er zwingt geradezu durch seine Kritik den Helden zur Bewährung, er treibt ihn aus der Artus-Gesellschaft in die Einsamkeit der *aventiuren* hinaus.

Auch wenn der Angegriffene vielleicht sogar weiß, daß Keies Kritik unberechtigt ist, so darf doch nicht einmal der Schatten einer gesellschaftlichen Diskriminierung auf ihn fallen: ein formalistisches und fast ängstliches Verhalten, was durch die Dominanz und die Empfindlichkeit der höfisch-konventionalisierten Sphäre zu erklären ist. Hartmann hebt zweimal ausführlich Iweins Angst vor Keie hervor, folgt damit prinzipiell Chrétien (*Yvain*, 892/1342):

> und waz ime [I.] *sin arebeit töhte,*
> *so er mit niemen enmöhte*
> *erziugen dise geschiht*
> *so spraecher* [K.] *im an sin ere* (1067 ff.), vgl. Kap. II

---

9 EMMEL, H., a. a. O., S. 24.
10 Für CRAMER, TH., Saelde und êre in Hartmanns „Iwein", Euph. 60 (1966), S. 34, ist Iweins Verhalten dagegen objektiv ‚superbia'.

Anlaß zum Handeln in schwieriger Lage (von Laudine gefangen gehalten) wird etwas später das gleiche Argument, die gleichen Worte:

> *doch daht er* [I.] *an einen schaden,*
> *dazer niht überwunde*
> *den spot den er zu hove vunde,*
> *so er sinen gelingen*
> *mit keinen schinlichen dingen*
> *niht erziugen möhte,*
> *waz im danne töhte*
> *alliu sin arebeit.*
> *er vorhte eine schalkheit:*
> *er weste wol daz Keii*
> *in niemer gelieze vri*
> *vor spotte und vor leide.* (1522 ff.)

Eine ritterliche Tat zählt — jedenfalls für den jungen Iwein — nicht für sich selbst, sondern erhält erst wahren, endgültigen Wert durch den öffentlichen Reflex. Tat und Wirkung der Tat („ruom") werden identisch in der regelmäßig zelebrierten Erzählung der Heldentaten vor dem versammelten Artus-Hof (vgl. Calogreant). Die (über)große Empfindlichkeit der Reaktion beweist doch wohl, daß Keies Kritik teilweise berechtigt war [11]: Iwein wollte der Artus-Runde vielleicht doch allzu ehrgeizig im „Brunnen-Abenteuer" zuvorkommen; ebenso zeigt Parzivals anfängliche Hilflosigkeit gegen Keies Ironie und sein unritterlicher Kampf gegen Ither, daß er strengen ritterlich-höfischen Anforderungen noch nicht gewachsen ist. Daß Keie den „Helden" in die Bewährung hinaustreibt, hat also tiefere Notwendigkeit.

Die „Heraustreibung" des Helden durch Keie ist hinsichtlich Ursache und Intensität zwar der unbedeutendere, grundsätzlich aber der gleiche Vorgang, mit dem der Weg des Helden in jedem Artus-Roman kumuliert: die sog. „ K a t a s t r o p h e " [12]. Der Ritter verläßt freiwillig allen Glanz, alle *êre* des Artushofes, weil er vor dessen (Moral)-Prinzipien versagt hat; *schulde* treibt den Helden erneut und diesmal ärger als durch Keie in die *aventiure* hinaus. In aller Öffentlichkeit wird sowohl Iwein wie Parzival die *êre* genommen durch die Botin Laudines bzw. die Gralsbotin Cundrie.[13] Der Grund ist derselbe wie in der Keie-Auseinandersetzung: Die *êre* er-

---

11 Die Zwielichtigkeit der Keie-Existenz liegt gerade darin, daß nicht klar wird, ob und wie sehr er Recht hat.
12 Vgl. dazu WAPNEWSKI, P., Hartmann von Aue, Slg. Metzler 1962, 60.
13 Iw. 3181 ff. u. Parz. 314, 26 ff.

zwingt die Loslösung aus der Gesellschaft, weil diese mitbetroffen ist, indem sie einen Ritter aufnahm, dessen Ansehen nicht über jeden Zweifel erhaben war.

Der Ritter bricht ins Ungewisse der *avanture, aventiure* auf.[14] Indem er Gefahren und Feindschaften aller Art überwindet, versucht er, die angezweifelte Qualität zunächst sich selbst zu bestätigen:

> *Avantures par esprover*
> *ma proesce et mon hardemant* (*Yvain*, 362)
> [Abenteuer, zu erproben meine Tapferkeit und Kühnheit]
>
> vgl. *Iwein*, 572 ff.

Alle Selbstbestätigung [15] und Selbstsuche aber bleibt auf die ideelle Gemeinschaft der höfischen Gesellschaft bezogen. Die erzwungene, zugleich bewußt erwählte Einsamkeit ist eine Bewährung der sozialen Haltung, z. B. in Iweins Befreiungstaten, und weist damit in die (ritterliche) Gemeinschaft zurück. „Die Abenteuerkette des Ritters, der von der Tafelrunde auszieht, um zu ihr nach vollendeter Tat zurückzukehren und vom Hof die Sanktion seines Tuns zu erhalten, ist im Grunde genommen nichts anderes als eine Quête, eine Suche seiner Selbst, nicht nur als Individuum, sondern als Glied der auf ein sittliches Ideal ausgerichteten Gesellschaft".[16] Das Ziel aller *aventiure* ist also (nach Bezzola) letztlich die Rückkehr an den Artushof, „dieser Gesellschaft symbolischer Ausdruck".[17] Die Re-Integration in die höfische Gesellschaft hebt alle Spannungen auf — jedenfalls im Roman: „Für den heimkehrenden Ritter ist die *joie* der Lohn der vollbrachten Tat, die jeweils der ganzen Gemeinschaft zu Gute kommt und die wiederum nur die Gemeinschaft zu bestätigen vermag." [18] Als Bewegungsgesetz des „Artusromans" läßt sich erkennen das Kreisen des Helden um den Artushof als geheimem Zentrum: Unruhe und Harmonie, Vereinzelung und Integration sind einander bedingende Phasen, beruhend auf der Antinomie stets erneut erhobener Forderungen des Individuums u n d der Gesellschaft.[19]

---

14 Vgl. dazu Ruh, K., a. a. O., S. 18 u. vor allem Köhler, E., a. a. O., Kap. III, S. 66—88.
15 Auch z. B. Erecs Aufbruch, v. 2766; man sollte den Individualismus im 12. Jhdt. aber nicht im Sinne der Renaissance interpretieren.
16 Bezzola, R., a. a. O., S. 250.
17 Bezzola, R., S. 115.
18 Köhler, E., S. 35.
19 Köhler, E., S. 81: „Spannung von Individuum und Gesellschaft innerhalb des Ritterstandes."

Das Wesen dieser Gesellschaft zu erfassen und dichterisch darzustellen, war das Ziel der hoch-höfischen Dichter. Bereits Chrétien „verstand seine Aufgabe als Sinndeutung der höfischen Welt, die für ihn die Welt schlechthin war".[20] Das Gefüge dieser höfischen Gesellschaft wird im „Artus-Roman" dadurch offenbar, daß einzelne herausragende, immer wieder auftretende Mitglieder dieser (Artus)-Gesellschaft über ihre Personenhaftigkeit hinaus zu Bedeutungsträgern gemacht werden, Konkretionen bestimmter Funktionen und Ideale.[21]

Der Zwang des Gesellschaftlichen, der den einzelnen Ritter dazu treibt, sich durch *aventiuren* auszuzeichnen, findet seine Inkarnation in der Gestalt des „Keie": Gestalt und Funktion sind identisch. Er ‚wirkt und reizt und muß als Teufel schaffen'. Keies P r o v o k a t i o n trägt ex negativo dazu bei, die ideelle Vollkommenheit der Artus-Gesellschaft zu erhalten, und sei es gerade dadurch, daß jede Kritik, jeder Spott gegen den „Helden" abprallt und schließlich bestraft wird.

Auf den unaufhebbaren, konstitutiven Konflikt innerhalb der höfischen Gesellschaft deutet die Tatsache, daß Keie zwar immerfort besiegt, dennoch Truchseß am Hofe bleibt: Sein Amt ist der Ausdruck für die notwendig dauernde, weil immanente Kritik am „Helden". Keie wird darum auch als malum necessarium anerkannt (*costumiers* [Gewohnheitsrecht] *est de dire mal, Yvain* 134), was weit mehr ist als etwa nur ein Zeichen der Resignation, mit der man sich mit der Existenz von Keie abfinden könnte.

Der Keie-Figur gegenüber ist notwendig als antithetische Kraft eine andere Figur gesetzt, die eben die von Keie gestörte H a r m o n i e von Einzel-Held und ritterlicher Gemeinschaft symbolisiert: G a w e i n . Durch seine Freundschaft zum Roman-Helden vollzieht er (endgültig) dessen Reintegration in die ritterliche („Tafelrunden")-Gemeinschaft. Gawein verkörpert auf diese Weise die geheime Intention der Gesellschaft nach harmonischem, kampflosen Ausgleich, nach der Vollkommenheit der höfischen j o i e [22]. So endet im Artus-Roman klassischer Prägung alles schließlich wie im Märchen: Hochzeit, Glanz der „Tafelrunde", endlich errungener Frieden.

---

[20] KÖHLER, E., a. a. O., S. 64, vgl. *Erec*-Prolog v. 13 f.
[21] Vgl. im folgenden vor allem KÖHLERS Deutung (S. 111 f.), der man nur zustimmen kann.
[22] Vgl. das Abschlußabenteuer im *Erek:* „Joie de la court", vgl. a. dazu KÖHLER, E., S. 77.

Man begreift, weshalb Keie und Gawein in jedem Artus-Roman in ihrem Auftreten so eng verbunden, ihre Handlungen nahezu „gekoppelt" sind: Sie beide repräsentieren in ihrer P o l a r i t ä t das innere Spannungsgefüge der (Artus)-Gesellschaft. Der Held der Handlung, exemplarische Darstellung des „Ritters", findet nur einen Platz in ihr, wenn er ihren beiden exponierten Vertretern gewachsen ist. So „vergißt" Iwein denn auch den Anlaß des „Brunnen-Abenteuers", die Rache für seinen Verwandten Calogreant, weil er sich Keie und letztlich Gawein ebenbürtig erweisen, wenn möglich: sie übertreffen will (vgl. a. *Yvain* 683 ff.).

Diese n o t w e n d i g e n Auseinandersetzungen des Helden haben eine charakteristische, immer gleiche symbolische Form. Keie, der den Helden in die *aventiure* hinaustrieb, wird eben im Zeichen der *aventiure* überwunden: Nur ein Waffensieg über ihn ist möglich, für andere Mittel zeigt er sich unzugänglich; „Gespräch" ist bei Keie nur Einleitung zum Angriff. Entsprechend äußert sich die Auseinandersetzung mit Gawein, die den Rang des Romanhelden endgültig fixiert, nicht primär als Kampf mit den Waffen, sondern als höfisches, den Andern als Person respektierendes Gespräch. Diese beiden typischen Äußerungsformen des höfischen Rittertums: „Kampf" und „Gespräch", zeigen sich in dichter, kontrastierender Folge in den französischen und deutschen *Erek-* und *Parzival*-Romanen, während in den *Iwein*-Romanen sogar ihre Synthese vollzogen ist als Ausdruck vollkommenen ritterlichen Lebens: der gleichwertige Kampf und das anschließende höfliche, freundschaftliche Gespräch zwischen dem zur Reife gelangten Iwein und dem Ideal-Ritter Gawein.[23]

Die Parallelität von Keie und Gawein zeigt beide zwar als Ausdruck polarer, im Prinzip also gleichwertiger Kräfte, aber die unterschiedliche Stellung und Wirkung und die zunehmende Verlagerung der Handlung auf Gawein machen die Tendenz und den Wert-Akzent der Autoren deutlich: In verschiedener Hinsicht ist Keie gegenüber Gawein der Unterlegene. Keies schmähliche Niederlage soll auf die geringe Berechtigung seiner Aggression hinweisen: Sie ist in Wahrheit eine Form der Bestrafung. Die angezweifelte (Rang)-Ordnung wird triumphal wiederhergestellt vom Roman-Helden, der folgerichtig in die Artus-Gesellschaft, nur kurzfristig allerdings (vgl. Kap. VI), zurückkehrt. Keie scheitert — Gawein macht das Versagen von Keie wieder gut: Er führt in allen Artus-Romanen Chré-

---

[23] Die Namensnennung markiert die Grenze von Kampf und Gespräch: Es macht den anonymen Kämpfer zur ansprechbaren Person, Iw. 7471.

tiens, Hartmanns und Wolframs den Helden in die Gemeinschaft zurück. Der Spannungsausgleich und die gesellschaftliche Geschlossenheit erscheint unter der ideologischen Sicht der höfischen Dichter als der höhere Wert [24] gegenüber der Spannungsauslösung durch Keie.

Auffällig achtet der „Artus-Roman" daher auf den Rang der Symbol-Figur Gawein: Im Gegensatz zu Keie kann Gawein grundsätzlich nicht besiegt werden.[25] Er ist eine dichterische Verklärung für die Idealität und die behauptete Unüberwindlichkeit eines Rittertums, das moralische und aesthetische Werte, militante und (literarisch)-kulturelle Ambitionen miteinander vereinigt.

Der Kontrast von Keie und Gawein zeigt sich besonders in ihrer Haltung zur höfischen L i e b e . In der „Blutstropfen-Szene" hat Gawein Verständnis für den leidenden Parzival (vgl. Kap. I u. III), er weiß, was *minne* heißen kann; er erscheint durchaus in Liebesabenteuer verstrickt, besonders bei Wolfram. Bei Keie dagegen spielt die Liebe überhaupt keine Rolle. Zwar wird flüchtig ein Sohn Keies („Gronosis" im *Erec*, s. d.) erwähnt, aber im (klassischen) Artus-Roman erscheint Keie nie in Verbindung mit einer *vrouwe*. Das wesentliche Element im neuen Lebensgefühl des *chevalier* ist ihm fremd [26], er ist damit im tiefsten Sinn „begrenzt": *fos et estouz* (*Perc.*, 4460), ein dreister Narr, ohne Gauvains *mesure* und *san*. Gauvain erscheint in umfassender Weise als *cortois* [27]: Im Freundes-Kampf gegen Iwein und Parzival behält Gawein *mâze, mesure*, seine zuchtvolle Ausgeglichenheit; er bleibt, in einem nicht negativen Sinn, in der die Affekte herabstimmenden höfischen Konvention.

Gawein ist in seiner Weise bereits „vollkommen", das heißt auch: ohne Entwicklung. Gegenüber der seelischen Krisenlage und dem Entwicklungsprozeß des jeweiligen Helden repräsentiert er das „höfische Sein" [28] schlechthin. Die Immanenz und die Unaufhebbarkeit der Spannung antinomischer Kräfte in der höfischen Gesellschaft findet ihren Ausdruck in

---

[24] Eine säkularisierte ‚harmonia mundi' im Tafelrunden-Kreis Gleichberechtigter, (das politisch Fiktive daran vgl. KÖHLER, a. a. O., S. 20/108).

[25] ... auch nicht von Parzival: auf den notdürftig unentschiedenen Kampf mit Parzival im 16. Buch legt Wolfram offenbar großen Wert.

[26] Vgl. RUH, K., a. a. O., S. 21.

[27] Z. B. „... de grant san et de corteisie" (Yv. 2411) oder „... de mout grant san" (Erec 4112); viele Äußerungen dieser Art auch im *Parzival*.

[28] KELLERMANN, W., Aufbaustil und Weltbild Chrétiens von Troyes im Perceval-Roman, Beih. d. Z. f. rom. Ph., Halle 1936, S. 149.

der S t a t i k ihrer wesentlichen Gestalten. Das Statische an der Gawein-Figur deutet die Zielrichtung für den einzelnen Ritter an: Gültigkeit, Vorbildlichkeit, Aufgehobenheit in der Gesellschaft. Die Harmonie ist freilich nicht ungefährdet, das wissen die Dichter [29]; der Ausgleich aller Spannungen und Auseinandersetzungen ist selten, mühsam, momentan. Das Problematische jeder Synthese und Harmonisierung kommt symbolisch zum Ausdruck in der antithetisch entgegengesetzten Keie-Figur, auch sie entwicklungslos und statisch. Keie repräsentiert somit das „höfische Sein" in seiner latenten D i s h a r m o n i e. Das läßt sich an der Figur selber demonstrieren: Das Auseinanderfallen in Kräfte der Vereinzelung und der Gemeinschafts-bindung innerhalb der Gesellschaft entspricht auf der individuellen Ebene [30] die Z w i e s p ä l t i g k e i t der Keie-Figur in sich selbst. Keie fühlt sich als Repräsentant der Artus-Gesellschaft und ist zugleich in ihr isoliert (s. o.). Er spielt im Negativen die beiden Existenz-Formen des Artus-Ritters vor: Unbezweifelte Präsenz in der (Artus)-Gesellschaft und zugleich erzwungene Isolierung. Gawein dagegen ist in jeder Lage mit sich identisch, er lebt auch auf der individuellen Ebene „Harmonie" vor.

Zwischen diesen beiden, die statischen Kräfte im gesellschaftlichen Gefüge offenlegenden Figuren „Gawein" und „Keie" ist der Held des Romans, sei es Iwein oder Parzival, in Bewegung: vom Widersprüchlichen und Unausgeglichenen der Keie-Stufe zum Harmonisch-Vollendeten des Gawein-Zustandes. Diese sich auf ein vorgegebenes Ziel hin bewegende Entwicklung verwirklicht sich in den Romanen in mehreren Phasen: Gefordert von Keie, löst sich der Held aus der Gesellschaft, bewährt sich in *aventiuren*, kehrt zurück und besiegt in überlegener Manier den Spötter. Der Held beweist in weiteren *aventiuren* sodann seine Ebenbürtigkeit mit Gawein, ausgewiesen in beider Freundschaft, und ist schließlich geläutert für die endgültige Aufnahme in die Elite der Artus-„Tafelrunde". So verläuft (schematisch) der Entwicklungsweg des Romanhelden, ein säkularisierter „Heilsweg", wie er in religiöser Ausprägung z. B. auch in Hartmanns *Gregorius* und *Armen Heinrich* gestaltet wird. Der Läuterungsweg des Roman-Helden ist im Falle des „Artus-Romans" festgelegt, mit Kategorien kanalisiert durch die beiden Figuren Keie und Gawein und gerich-

---

[29] Hartmann z. B. spricht von der Schwierigkeit und der Hoffnung auf das *wunschlebn*, Iw. 44 f.
[30] Vgl. KÖHLER, E., a. a. O., S. 12: „die politischen Antagonismen des Feudalstaats [sind] restlos auf die persönlich-psychologische Problematik reduziert."

tet auf die institutionalisierte Vollkommenheit der Artus-„Gesellschaft".
Die höfischen Autoren richten in dieser Konfiguration das gesellschafts-
pädagogische Modell des „Artus-Romans" auf. Gesellschaft versucht sich
hier selber zu begreifen, „ein erzieherisches Gespräch der aristokratischen
Gesellschaft [ideologisiert] mit sich selbst" [31]: Der exemplarische
Roman-Held, mit dem das Publikum sich identifizieren sollte, kreist, an-
gezogen, abgestoßen, schließlich eingefügt, um das ruhende Z e n t r u m
des Artus-Hofes.[32] Dessen i n n e r e n Kreis bilden die „statischen" Figuren des vollendeten Königs Artus und der vollendeten *dame, vrouwe*
Guinièvre, das ideale „höfische Paar" (mit Ausnahme des *Lancelot* freilich), vor denen in einem ä u ß e r e n Kreis Gawein und Keie stehen als
zu überwindende Bollwerke gleichsam, Prüfungen für den Helden.

Aber eigentlich nur in den *Iwein*-Romanen scheint dieses wohlabgewogene
Figuren- und Beziehungsgeflecht rein verwirklicht. Häufig tritt der glanzvolle Mittelpunkt, der K ö n i g , z. T. auch bereits als Erziehungs-Ideal,
hinter Gawein zurück (*Lancelot* und *Parzival*-Romane) und entsprechend
kann Keie seinen Spielraum entfalten auf Kosten der königlichen Aktivität
und manchmal auch der Autorität. Das Versprechen aus dem *Iwein*-
Prolog:

> *des git gewisse lere*
> *künec Artus der guote*
> *der mit ritters muote*
> *nach lobe kunde striten* (4 ff.)

wird kaum eingelöst: Proklamation ohne Handlungsbeweis. In allen
(hoch-höfischen) Romanen gerät der König rätselhaft passiv, manchmal
sogar hilflos in den Hintergrund.[33] Er ist nicht mehr als ein „glanzvoller
Statist" [34], um den herum der turbulente *aventiuren*-Reigen wogt. Diese
Aushöhlung der ideellen und faktischen Mitte des „Artus"-Romans versucht Fr. Heer als literarische Spiegelung politischer Verhältnisse (oder
besser: Ziele) der (französischen) Aristokratie zu erklären: „Gerade so war
er der neuen Gesellschaftsschicht willkommen als unverbindlicher royalisti-

---

[31] TRIER, J., Gottfried von Straßburg, in: Die Welt als Geschichte VII (1941),
S. 72.
[32] Man erkennt leicht in der „Statik" das affirmative Element, die idealisierende
Selbstbestätigung der Aristokratie in ihrer Literatur; vgl. übrigens KÖHLER, E.,
a. a. O., S. 7: „Artus als statische Größe."
[33] Vgl. RUH, K., a. a. O., S. 13.
[34] HEER, FR., Die Tragödie des Hlg. Reiches, 1952, S. 314.

scher Deckschild der autonomen anarchischen feudalen Gesellschaft."[35] Handlungstechnisch erzwingt geradezu die Positionsschwächung des Königs die aktive Rolle der beiden „äußeren" statischen Figuren Gawein und Keie: Beide dienen, mit gegensätzlichen Mitteln, dem Erziehungsziel des Artusromans.

Ändert sich die Position einer der Grund-Figuren, so wirkt das auf die anderen zurück. Das Figuren-Gefüge bleibt zwar formal intakt, aber die strukturelle Konstanz verhindert nicht, daß sich bei den einzelnen Autoren Akzente und Bewertungen z. T. stark verschieben. Am weitesten geht die Modifikation des Grund-Musters der Gestalten und Funktionen bei W o l f r a m : Er hatte die Kritik-Funktion und damit die Keie-Figur im ganzen „positiv" gesehen. Auf Grund einer veränderten Gesellschaftsauffassung verlagern sich die Schwerpunkte und Zielsetzungen im *Parzival*, ohne aber die herausgebildete Figuren-Konstellation des „Artus-Romans" zu sprengen. Wolfram, eine Generation später als die Begründer der französischen und deutschen Artus-Epik, hat den allmählichen Verfall von Staufer-Königtum und dessen höfischer Gesellschaft vor Augen; er ist der Zeuge der Reichswirren und des Fürsten-Egoismus in den ersten beiden Jahrzehnten des 13. Jahrhunderts (s. u.). „Idealismus" ist nicht mehr so leicht in die Dichtung einzubringen wie noch zur Zeit des Chrétien und des jungen Hartmann. Der „heilen" Artus-Welt steht Wolfram skeptischer, distanzierter gegenüber. Das innere Gefüge der Artus-Gesellschaft muß sich seiner kritischen Sicht anpassen: Der König erscheint stark geschwächt; trauernd und geistesabwesend greift er nicht ein, als sein Truchseß Parzival und Cunneware angreift; auch später äußert er sich gegen Keie kaum, nicht mißbilligend jedenfalls wie der König bei Chrétien. Wolfram macht sich manchmal sogar lustig[36] über Artus, „den maienbaeren man", um den immer Pfingsten und Frühling zu sein scheinen, eine idyllische Märchen-Szenerie, die jäh in Wolframscher Launigkeit durch einen ‚Kaltlufteinbruch' als Illusion entlarvt wird: *waz man im süezes luftes git!/ diz maere ist hie vast undersniten . . .* (281, 20)[37]

Gegenüber Parzival verliert nun auch das Gawein-Idol seine bisher beherrschende Stellung.[38] Die im *Parzival* auf Kosten der inneren Bedeutung

[35] Ebda.; vgl. a. KÖHLER, E., S. 9: „Die feudale Welt [bestätigt] sich durch eine ihren Gesetzen gehorchende monarchische Spitze."
[36] Vgl. RUH, K., a. a. O., S. 15: „mit leiser Ironie."
[37] Ähnlich v. 221, 25 f.
[38] Erstaunlich bereits im *Perceval* vorbereitet: der Ideal-Ritter muß ermahnt werden: *mesure, mesure* (v. 6684).

des Artus-Hofes sehr ausgedehnte „Gawein-Handlung" (vgl. Kap. VI) spricht nur scheinbar dagegen. Wenn Gawein sichtbar im Vordergrund agiert, füllt den Hintergrund die zuweilen schattenhaft hervortretende Gestalt eines Größeren aus. Parzivals Überlegenheit zeigt sich z. B. auch in der „Blutstropfen-Episode" des VI. Buches (vgl. Kap. III): Die Liebes-Gedanken Parzivals versteht Gawan — anders als Keie (s.o.) —, er empfindet ähnlich vor Orgeluse, aber den religiösen Zweifel, die Sorge um den Gral, begreift er nicht. Beim späteren Abschied wünscht er Parzival für dessen *aventiuren* konventionell: *da geb dir got gelücke zuo* (331, 27). Parzival versteht nur dies eine Wort *got*, ist schon beim eigenen Problem und Schicksal, dem andern fern: *we, waz ist got?* (332) Die glanzvolle, so gesichert scheinende Welt des Artus-Ritters offenbart vor dieser verzweifelten Frage ihre Oberflächigkeit. Folgerichtig, wenn auch nicht leicht bemerkbar, verschiebt sich das ritterliche Ideal von der Gawein- auf die Parzival-Gestalt; es verändert sich aus einer Gesellschafts(*werlde*)- und Welt-auffassung heraus, der das Nur-Höfische nicht mehr genügt. Das religiöse Problem, *gotes und der werlde hulde,* das zunächst vom Selbstgefühl der sich konstituierenden Gesellschaft am Ende des 12. Jahrhunderts, vom raschen Aufschwung dieser säkularisierten Kultur verdrängt schien, war nur verdeckt und wird im Lauf des 13. Jahrhunderts wieder akut.

Aber Parzival will und kann in die Artus-Gemeinschaft aufgenommen werden [39], darauf achtet Wolfram sorgfältig, und kann doch zugleich a u c h Gralskönig, Vertreter einer religiös-ritterlichen Gemeinschaft werden. Was Widerspruch scheint, versöhnt sich im gradualistischen Denken Wolframs als für sich berechtigte Stufen einer „vertikal", auf Gott zu und von ihm geordneten Welt. Die ernsten, tapferen Kämpfe von Keie und Gawan gegen Parzival sollen demonstrieren, daß jeder i n s e i n e r W e i s e einen ritterlichen Wert verkörpert: Beide verlieren, aber beide, auch Keie, behalten in ihrem Sinn, im Sinn der Artus-Welt, eine Berechtigung. Gawein und Keie rücken, sieht man auf Parzival, als Repräsentanten des Weltlichen enger zusammen (vgl. Kap. III).

Die bei Chrétien und Hartmann so breite Kluft zwischen der Gawein- und Keie-Figur verringert sich noch stärker: Der subtilen allgemeinen Abwertung der „Artus-Welt" bei Wolfram schließt sich die Keie-Dar-

---

[39] Nicht zuletzt diese Reintegration macht den *Parzival* trotz anderer Intention (auch) zu einem ‚Artus-Roman'.

stellung n i c h t an; die Keie-Figur erfährt im Gegenteil eine besondere
Aufwertung. Wie ist diese prononcierte Umkehrung Wolframs im Verhältnis zu Keie und der Gesellschaft zu erklären? Wolfram sieht kein
Ideal, sondern hat die Realität vor Augen. Er spricht aus persönlicher
Erfahrung: *ich han geredet um min dinc* (217, 7), eine Wirklichkeits-Auf-
fassung, die er am Hof seines launenhaften Gönners Hermann von Thüringen gewonnen haben wird:

> *von Dürgen fürste Herman,*
> *etslich din ingesinde ich maz,*
> *daz uzgesinde hieze baz* ... (297, 16 ff.)

Diese Wirklichkeit dient Wolfram offenbar als Modell für die Gesellschaft
im Artus-Roman:

> *ez was dô manec tumber lip* ... (216, 27)

> *... Artuses hofe was ein zil,*
> *dar kom vremder liute vil,*
> *die werden und die smaehen,*
> *mit siten die waehen.*
> *Swelcher partierens pflac,* [Lügen]
> *der selbe Keien ringe wac* ... (296, 25)
> *ze scherme dem herren sin:*
> *partierre unde valsche diet,*
> *von den werden er die schiet* ... (297, 8 ff.)

Wolfram benutzt die Keie-Figur also, um Hermann von Thüringen einen
politischen Ratschlag zu geben. Name und Beispiel des berühmten
Walthers von der Vogelweide sollen dem Nachdruck verschaffen.[40] Wolfram empfiehlt dem Thüringer Hof einen strengen Aufpasser und Kritiker
vom Schlage Keies:

> *dir* [Herm.] *waere ouch eines Keien not,*
> *sît wariu milte dir gebot*
> *so manecvalten anehanc,*
> *etswa smaehlich gedranc*
> *und etswa werdez dringen.*
> *des muoz her Walther singen*

---

40 Fragmentarisch, im *Leopoldston* Str. 6, in: Die politischen Lieder W. s, hrg. v.
MAURER, FR., Tübingen 1960, vgl. a. 1. Philippston, Str. 5:
> *daz ist min rat, (der) laz den hof ze Düringen fri,*
> *.. ein schar vert uz, diu ander in, naht unde tac;*
> *groz wunder ist daz iemen da gehoeret* ...

,guoten tac, boes unde guot'.
swa man solhen sanc nu tuot,
des sint die valschen geret.
Kei hets in niht geleret . . . (297, 19 ff.)

Hier kommt Realität in den Artus-Roman — und umgekehrt: Dichtung will Realität verändern, verbessern. Weil — zu Wolframs Zeit — die Schwäche der „höfischen" Konzeption bereits offen zu Tage tritt, benutzt Wolfram die „Gelegenheit" der Keie-Figur zu einem Ansatz von Gesellschaftskritik. Das Truchseß-Amt Keies wird dabei idealisiert, weil es als Korrektiv fungieren soll in einer kritisch-realistisch gesehenen Gesellschaft. Freilich kann Wolframs gesellschafts-pädagogische Intention aus der traditions- und quellenmäßig festgelegten Keie-Figur keinen vorbildlichen Vertreter dieses Amtes machen. Wert und Würde des von Wolfram als notwendig erkannten Truchseß-Amtes verhelfen Keie aber zu jenem glaubwürdigen Ethos, aus dem heraus er zum geschlagenen Hoffräulein sagen kann:

ich tetz durch hoflichen site,
ich wolt iuch han gebezzert mite:
dar umbe han ich iwern haz. (218, 25 ff., vgl. Kap. III)

Chrétien und Hartmann dagegen sahen die Funktion des Truchseßen n e g a t i v , wenn auch unabdingbar. ,Wenn Keie nicht Truchseß gewesen wäre . . .', um diese fast widerwillig zugestandene Tatsache kommt vor allem Hartmann nicht herum (vgl. *Iwein,* 2527): Keie gehört, zwar verurteilt, aber geduldet, unausstoßbar zur Artus-Gesellschaft, sogar zu ihrem inneren Zentrum. Skepsis und Kritik richten sich also bei Chrétien und Hartmann auf die Keie-Gestalt, nicht wie bei Wolfram auf die Gesellschaft. Diese ist, zumindest in ihrer zu erreichenden Idealität, unbezweifelt bei Chrétien, im wesentlichen auch noch bei Hartmann: Ihr kommt normative Geltung zu. Der *Yvain*-Prolog Chrétiens und Hartmanns entsprechende, etwas spärlichere Bemerkungen über den Verfall der Sitten *nu bi unseren tagen* (50) ist weniger aktuelle Gesellschaftskritik als ,laudatio temporis acti'[41]: Das Ideal ist konzipiert, aber ins Vergangene, letztlich ins Zeitlose entrückt und damit und darin gesichert; der ethische Führungs-Anspruch des „höfischen Rittertums" bleibt desto unangefochtener. Guten Gewissens konnte noch das Ideal-Typische der Gesellschaft behauptet werden; historisch-veränderlich und mit realistischer Kritik zu

---

[41] Vgl. a. RUH, K., a. a. O., S. 106.

verfolgen, erscheint die höfische Gesellschaft erst in den Werken Wolframs, Gottfrieds, des älteren Walthers.

Das Verhältnis von Ideal und Wirklichkeit ist bei Hartmann (zumindest) und bei Wolfram vertauscht in bezug auf die Keie-Figur. Keie bestätigt bei Hartmann in seiner Negativität als Truchseß-Typ und als realistisch gezeichneter „falscher" Charakter (vgl. Kap. IV) die prinzipielle Idealität der Gesellschaft; seine Bestrafung stellt die Werte-Ordnung und Rang-Hierarchie wieder her. Wolfram dagegen wird von seiner realistisch-kritischen Gesellschafts-Beobachtung veranlaßt, gerade die Idealität des Truchseß-Amtes und partiell Keies hervorzukehren.

Die Keie-Darstellungen von Chrétien, Hartmann und Wolfram, so erkennt man immer mehr, haben aufschließenden Wert: In ihnen präzisieren die Autoren die jeweilige allgemein-gesellschaftliche Situation ihrer Zeit. Die Keie-Szenen stellen unter diesem Aspekt geradezu ein Konzentrat gesellschafts-politischer Auseinandersetzung und Belehrung dar.[42]

---

[42] KÖHLER, E., a. a. O., S. 37: Dichtung als „eine ebenso anspruchsvolle wie sittlich wahre Lebenslehre".

VI. Die Keie-Figur in ihrer Bedeutung für die Roman-S t r u k t u r

Von einer Analyse der Keie-Figur in jedem einzelnen Roman kommt diese Untersuchung fortschreitend zu allgemeineren, den „Artus-Roman" im Ganzen betreffenden Problemen: die Funktion der Keie-Figur für die Konzeption der „höfischen Gesellschaft" in der Literatur. Aus der Negation heraus, der Anzweiflung des Helden und der Gesellschaft — so war zu erkennen —, dient Keie der Selbstbestätigung der Artus-Gesellschaft. Diese große Bedeutung Keies läßt leicht übersehen, daß diese Figur nach Häufigkeit und Umfang ihrer Szenen, gemessen etwa an denjenigen des Romanhelden, Gaweins u. a., eine N e b e n f i g u r ist und bleibt. Aus der einen isolierten, an Versen geringen Episode im *Erec* entwickelt sich auch später nur ein eng begrenzter Szenen-Bestand; das Motiv-Arsenal bleibt klein. Es lassen sich im wesentlichen zwei Szenen-Typen unterscheiden, gegensätzlich in Handlungs-Grundmuster und Schauplatz. Die wichtigste ist die sehr bald stereotyp werdende „ K a m p f - S z e n e " [1], Keies zentraler Auftritt, die zweite ist die „ H o f - S z e n e ". Diese beiden Szenen sind innerlich und äußerlich aufeinander bezogen, wie es vor allem die *Iwein*- und *Parzival*-Romane zeigen (s. u.): In der „Hof-Szene", regelmäßig zu Beginn jedes Romans, entsteht der Konflikt mit dem Helden, der seinerseits die Beleidigung und Anzweiflung durch Keie in der späteren „Kampf-Szene" rächt und bestraft. Dieses Szenen-M o - d e l l hat sich aber erst allmählich entwickelt. Im *Erec* sind die Beleidigung und der Kampf noch innerhalb der gleichen Szene direkt hintereinander geschaltet; eine eigentliche „Hof-Szene" fehlt, ist nur in einem schattenhaften Auftritt Keies im ersten Roman-Viertel angedeutet. Die kleine „Kampf-Szene" im *Erec* erweist sich aber als Keimzelle für fast alle späteren Keie-Szenen: Das Motiv der „Beleidigung" wird ausgelagert in die zweite und jüngere „Hof-Szene" [2]; dadurch erhält der

---

[1] Die Szenen-Bezeichnungen stammen vom Verf.

[2] „Hof-Szene" nur in Hinblick auf Keie gemeint: Alle grundlegende Erkenntnis der ‚Form', vor allem bei KELLERMANN, EMMEL, KÖHLER wird hier nur auf die Keie-Figur bezogen und von dieser bestätigt.

Kampf erst seine volle, weit wirksame Begründung. Man erkennt deutlich den künstlerischen Reifungsprozeß vom *Erec* bis hin zum *Parzival:* Aus dem beiläufigen, zufällig entstandenen Aufeinanderstoßen im *Erec* wird ein sorgfältig motivierter, lang vorbereiteter Prestige-Kampf in den späteren Romanen. Die künstlerisch-konstruktive Bewußtheit der Autoren zeigt sich einmal darin, daß sie selbst bei einer Nebenfigur wie Keie die Grundmotive präzis verknüpfen, und zum anderen darin, daß sie diese Motive in zwei Szenen auseinanderziehen und für die Romanhandlung produktiv machen.

Um die innere Verbindung der „Hof-Szene" und der „Kampf-Szene" zu verdeutlichen, entstehen im hoch-höfischen Roman Ansätze auch zur äußeren, handlungsmäßigen Verknüpfung durch „ Z w i s c h e n - S z e - n e n " : Das ist der dritte (jüngste) Szenen-Typ, der der Auffüllung und Komplettierung zwischen den beiden Hauptszenen Keies dient. In Chrétiens *Yvain* und demnach auch bei Hartmann findet sich ein erster Versuch, Beleidigung, Sorge vor Keie und Racheabsicht Iweins gleichsam zur Erinnerung und zur Vorausdeutung zu verwenden, ohne daß es allerdings zu einer (dialogischen) Szene kommt (vgl. Kap. V). Die von Hartmann selbständig in den *Iwein* eingefügte Episode von Keies gescheiterter Befreiung der Königin dient freilich nicht der Verknüpfung der „alten" Keie-Szenen: Sie ist in dieser Hinsicht funktionslos, bezweckt bestenfalls die erneute, drastischere Charakter-Darstellung. Es zeigt sich hier bereits das Bedürfnis nach Häufung und Aufschwellung der Keie-Szenen, das dann im „spät-höfischen" Roman beherrschend wird. Chrétien entwickelt dagegen sehr bewußt aus dem Ansatz des *Yvain* heraus die der Verklammerung von „Hof"- und „Kampf-Szene" dienende „ P f i n g s t - S z e n e " im *Perceval*-Roman. Wolfram vervollkommnet diesen strukturell fast notwendigen Brückenpfeiler, indem er in den „ G e f a n - g e n e n - S z e n e n " einen ausführlichen, relativ selbständigen Szenen-Komplex schafft, der dreifach die Verbindung zur „Hof-Szene" (Cunneware) und zur „Kampf-Szene" schlägt und darüberhinaus neue Motive und Argumente für Keie dazubringt. Eine sparsame, aber echte „ K e i e - H a n d l u n g " [3] ist damit im *Perceval / Parzival* entwickelt, die sich bereits in den *Iwein*-Romanen im Prinzip vorfand. Dieser schmale Handlungsstrang fügt sich nicht nur bruchlos in die Roman-Haupthandlung ein, sondern unterstützt entscheidend deren Intention (s. u.).

---

[3] Begriff schon bei EMMEL, H., S. 62.

Freilich muß man sich bei diesen Begriffen von der Vorstellung einer kontinuierlichen, den Helden nie aus den Augen lassenden „Handlung" neuzeitlicher Entwicklungs-Romane lösen. Der mittelalterliche Roman besitzt prinzipiell eine episodenhafte Struktur [4]: Einzelne *aventiuren* sind hintereinandergereiht, die ihren Zusammenhang nur in ihrer symbolischen Beziehung finden. Als „Gerüst-Epik" bezeichnet daher H. Kuhn diese Struktur: „Ein Gerüst eines durch technische Mittel verdeutlichten programmatischen Zusammenhangs trägt die handlungsmäßig nur lose verbundenen Episoden".[5] Dieser „programmatische Zusammenhang" ist gegeben im *aventiuren*-Weg des Roman-Helden, der sich in isolierten Einzelbegegnungen von Station zu Station fortbewegt auf das vorgegebene Ziel der Integration in den Artus-Kreis, bzw. in den Grals-Kreis (*Parzival*). Ein Beispiel: Parzivals scheinbar „zufällige" Begegnungen mit Sigune sind nicht etwa durch Handlungsnotwendigkeiten motiviert, sondern haben ihren Sinn allein als symbolische Richtpunkte für Parzivals religiöse Entwicklung.

Keie nun hat Teil am „programmatischen Zusammenhang" des Artus-Romans: Er ist eingespannt in den Weg des Protagonisten zwischen Einsamkeit und Gesellschafts-Integration durch seine Kritik- und Reiz-Funktion, die ihren Ausdruck findet in der Feindschaft zum jeweiligen Helden. „Der Roman des Artus-Ritters im engeren Sinn beginnt mit dieser Feindschaft" [6] konstatiert auch H. Emmel. Die Eckszenen der „Keie-Handlung", „Hof"- und „Kampf-Szene", stellen strukturell „Stationen" und dem Gehalt nach Bewährungsproben für den Romanhelden dar. Der Sinn dieser Bewährung des Romanhelden gegenüber Keie ist die Verwirklichung des „Höfischen", aus freilich ironischer Negation heraus: Keie verteidigt den Artuskreis gegen den „Fremden", den Eindringling — das ist sein Rollentyp, wenn man Keie unter gleichsam dramaturgischem [7] Blickwinkel betrachtet. Diese Rolle macht ihn grundsätzlich unentbehrlich für den Artuskreis, der König will nie auf seinen Truchseß verzichten, trotz aller herben Kritik. Die Ironie der „Keie-Handlung" liegt auf der Hand: Im *Lancelot* und in der „Königin-Befreiungs-szene" des *Iwein* wendet sich Keie noch gegen einen von außen andringenden, artus-fremden

---

[4] Bereits SARAN, FR., Zur Komposition der Artusromane, in: PBB 21 (1896), S. 290.
[5] KUHN, H., Gattungsprobleme der mhd. Lit., München 1956, S. 29.
[6] EMMEL, H., S. 83.
[7] Vgl. dazu KELLERMANN, W., S. 44 ff.

Gegner. In den französischen und deutschen *Erek-*, *Iwein-* und *Parzival-*Romanen aber ist dieser (scheinbare) „Fremde" zugleich ein (unerkanntes) Mitglied der Artus-Gesellschaft. Einmal sogar richtet sich die vermeintliche Verteidigung des Hofes und des Höfischen bewußt und offen gegen einen Artusritter selbst: in der „Hof-Szene" des *Yvain/Iwein*. Der Konflikt verlagert sich also durch Keie zunehmend ins Innere der Artus-Gesellschaft. In Keie und in der Artus-Gesellschaft wird somit immer stärker die Dialektik des „Höfischen" sichtbar als die Antinomie von individueller und gesellschaftlicher Forderung (vgl. Kap. V). Keie treibt die P o l a r i s i e r u n g der höfischen Gesellschaft voran, löst den Konflikt aus, setzt notwendig und innerlich begründet die Roman-Handlung in Gang: Die „Hof-Szene" steht nicht zufällig jeweils am Beginn des Romans.

Die Position jeder Keie-Szene in der Roman-Architektur erweist sich als abhängig von ihrem Stellenwert im „programmatischen Zusammenhang": Man kann im Artus-Roman, darüber hinaus in mittelalterlicher Literatur allgemein, „grundsätzlich jedes kompositionelle Element in direkte Beziehung zum Inhalt setzen".[8] Dahinter steht der Gedanke, den H. Friedrich z. B. als (hermeneutischen) Grundsatz für die *divina comedia* Dantes entwickelt[9], daß in mittelalterlicher Literatur jede Einzelszene ihren Sinn vom Ganzen empfängt und „nischenartig" dem Gesamt-Bau des Romans eingegliedert ist. Das ist z. B. deutlich sichtbar bei Keies „Kampf-Szene". Ihre Position im Roman ist dadurch gekennzeichnet, daß ihr stets unmittelbar eine „Artus-Hof"-Station des Roman-Helden folgt. Diese „Artus-Hof"-Szenen sind Kulminationspunkte im Romangeschehen und in seiner Struktur: Konfrontation mit Keie u n d Eingliederung des Protagonisten in die Artus-Gesellschaft. Durch diese dichte Aufeinanderfolge von Keie- und „Artus-Hof"-Szenen werden Funktionen bezeichnet: Der triumphale Sieg über Keie e r m ö g l i c h t erst die ehrenvolle Aufnahme in die Artus-Runde, der Held — Erek, Iwein, Parzival — steht auf dem (scheinbaren) Gipfelpunkt seines Weges; seine Welt-Karriere er hält den Segen, freilich den nur weltlichen, des Artus-Kreises.

Der Glanz, die „joie" am Artushof ist aber nicht für Dauer, der Aufenthalt der Helden nur eine vorübergehende Einkehr. Unmittelbar auf

---

[8] Köhler, E., S. 237.
[9] Friedrich, H., Die Rechtsmetaphysik der Göttlichen Komödie, Frankfurt 1942, S. 2 f.

höchsten Ruhm folgt der Absturz in die Katastrophe von aufgedecktem Versäumnis, Schuld, Ehrverlust, was erneute Einsamkeit und *aventiuren*-Bewährung verlangt. Daß also die Artus-Episode jeweils in Anschluß an den Keie-Kampf nur v o r ü b e r g e h e n d e gesellschaftliche Integration bringt, hat zentrale Bedeutung für den Roman-Verlauf. Diese „Station" gliedert die Roman-Handlung in z w e i Teile, in zwei (kontrastierende) *aventiuren*-Stränge des Helden. Erst am Ende des zweiten Teils, d. h. zu Roman-Schluß, folgt die endgültige Rehabilitierung in einer zweiten „Artus-Hof"-Szene: Der Held muß seine Ebenbürtigkeit auch mit Gawein bewiesen haben. D e n b e i d e n R o m a n - T e i l e n s i n d d i e p o l a r e n G e s t a l t e n d e s A r t u s h o f e s, G a w e i n u n d K e i e, a l s o i n s p e z i f i s c h e r F u n k t i o n z u g e o r d n e t. Der in der „Peripherie" [10] um den Artus-Hof, dem symbolischen Zentrum idealen Rittertums, kreisende Held muß sich erst mit den beiden „statischen" Repräsentanten des Artus-Rittertums auseinandergesetzt haben, bevor er dem (selbst-) gesetzten Anspruch genügt: Keie und Gawein sind Türhüter zum (säkularisierten) Allerheiligsten der esoterischen „Tafelrunde". Die „Figuren" erweisen sich damit innerlich u n d äußerlich als „tragende Pfeiler der Roman-Architektur" [11]: Keie erhält eine Funktion nur im ersten — Gawein erst im zweiten Roman-Teil. Diese beiden durch „Artus-Hof"-Szenen gegliederten Roman-Teile sind strukturell gleichgebaut, Parallel-Szenen stehen einander gegenüber. Die Analogie ist in der gleichen Spannung von Isolation und Gesellschaftsintegration des Roman-Helden begründet, aber die Roman-Teile sind im Sinne einer Steigerung einander gegenübergestellt. Sie stehen zueinander im Rangverhältnis einer „Vorgeschichte" und eines „Hauptteils". Tief begründet ist es also, daß die parallel zur Gawein-Figur postierte, ihr an *êre*, Macht und glücklichem Erfolg aber unterlegene Keie-Gestalt n u r in der „Vorgeschichte" ihre Handlungsbedeutung entfaltet. Der Sieg über den in jeder Hinsicht unter Gawein stehenden Keie kann eben für den Romanheld nur v o r - l ä u f i g e Bedeutung haben: Die endgültige Bewährung gegen Gawein steht noch aus.

Eine kurze strukturelle Betrachtung der einzelnen Romane kann demonstrieren, wie „Keie-Handlung" und „Gawein-Handlung" ineinander gefugt und mit der Aktion des Romanhelden verknüpft sind. Modellhaft ist das z. B. im *Iwein* durchgeführt. Die „Vorgeschichte" ist g e r a h m t

---

[10] DE BOOR, H., Gesch. d. dt. Lit. II, a. a. O., S. 67.
[11] KELLERMANN, W., S. 12.

durch die Keie-„Hof-Szene" und die Keie-„Kampf-Szene"; sie wird durch die Rehabilitierung und vorübergehende Einkehr Iweins an den Artus-Hof abgeschlossen. Mit der Katastrophe des Ehrverlustes und des Sturzes in Einsamkeit und Wahnsinn setzt darauf die um vieles gewichtigere „Haupt-Handlung" ein. Sie wird gleichfalls durch einen Kampf abgeschlossen; die Eingliederung Iweins in den Artus-Kreis ist vollkommen und endgültig dadurch, daß er sich Gawein gewachsen zeigt.

Die im Typ gleiche Struktur zeigen die *Parzival*-Romane: Sie beginnen eigentlich erst beim Konflikt mit Keie am Artus-Hof („Hof-Szene"). Wie Iwein erringt Parzival in einem ersten Handlungsbogen eine Ehefrau und ein Reich. Diese *aventiuren*-Kette kulminiert folgerichtig in Parzivals Aufnahme in die Tafelrunde, nachdem Keie in der „Blutstropfen-Szene" besiegt worden war (VI. B.). Die sich anschließende Verfluchung Parzivals durch die Gralsbotin Cundrie (*êre*-Verlust) leitet die schwergewichtigere zweite Handlungsfolge ein, die Suche nach dem Gral. Parallel dazu und in sie verschlungen setzt jetzt die „Gawein-Handlung" ein, im Unterschied zum *Iwein*-Roman eine sehr umfangreiche, kontinuierliche *aventiuren*-Kette Gaweins. Die „Parzival-Handlung" und die „Gawein-Handlung" konvergieren bezeichnenderweise wiederum am Artushof (3. Artushof-Szene). Der fast unentschiedene Kampf zweier Freunde, Gawan und Parzival, charakterisiert wie im *Iwein* empfindlich genau das Rangverhältnis: Das Rittertum besitzt, jedenfalls in seiner Literatur, nur dies Mittel des Kampfes, um ideelle Auseinandersetzungen signalisieren und bewerten zu können.[12]

Im Unterschied zum herausgebildeten Normaltyp des „Artusromans" in der Art des *Iwein* legt sich nun aber über das Parzival-Gawein-*aventiuren*-Geflecht bei Wolfram eine weitere Handlungs-Schicht: die wieder aufgenommene Suche nach dem Gral und die Auseinandersetzung mit dem Heiden (und Halb-Bruder, wörtlich und symbolisch) Feirefiz, die religiöse Problematik, die dem Artusroman chrétienscher Provenienz im Grunde fremd ist.[13] Die Intention des *Parzival* ist nicht mehr auf den Artus-

---

[12] Es bezeichnet die andere, religiöse Blickrichtung des *Parzival*, daß im V. u. IX. Buch entscheidende Auseinandersetzungen durch das gesprochene (oder nicht gesprochene) Wort geschehen.
[13] KELLERMANN, W.: „Die Hauptgestalt des Werkes, Perceval, ist ein Vollblutritter im *höfischen* Sinne" (S. 181); [bei Wolfram dagegen:] „die religiöse Austiefung der höfischen Ethik" (S. 163).

Kreis, sondern auf den Grals-Kreis gerichtet, auch wenn die „Artus-Hof"-Szene ihre Bedeutung behält. Den symbolischen Figuren Keie und Gawan, repräsentativ für die Antinomien der höfischen Gesellschaft, wird als d r i t t e Stufe der Bewährung für Parzival die Gestalt und Funktion des Feirefiz hinzugefügt, ohne daß aber das Aufbau-Prinzip des „Artus-Romans" damit in Frage gestellt würde. Das inhaltlich Neue [14] des *Parzival* ist noch mit der alten Form Chrétiens zu bewältigen, wenn Wolfram in einer Art von „Baukasten-Prinzip" Handlungskreise, Parzival-Kämpfe architektonisch in- und übereinander-fügt. Dies künstlerische Verfahren bringt freilich auch die Gefahr der Kumulation mit sich, der die Nachfolger Wolframs schließlich auch erliegen. Solange aber noch der Roman auf e i n e n (Titel)-Helden konzentriert ist, kann er seine gesellschaftspädagogische Intention noch prinzipiell in der Konfiguration von Held, Gawein, Keie verwirklichen. Diesem Figuren-Grundmuster entspricht die Roman-Zweiteilung und die entsprechende Zuteilung und Hintereinander-Schaltung von „Keie"- und „Gawein-Handlung". Überall ist also als strukturelles Grundprinzip die „ D o p p e l u n g " [15] zu erkennen. In relativ einfacher Spiegelung sind Szenen und Szenen-Gruppen parallel oder kontrastierend gegeneinander gestellt. Falls eine Bestätigung für die Bedeutung der Keie-Figur noch zu erbringen wäre: Die strukturell so klare Spiegelung von „Keie-" und „Gawein"-Handlungssträngen stellt diese Figur p a r a l l e l neben Gawein.

Diese Bauweise der *Iwein*- und *Parzival*-Romane ist schon im frühen Artus-Roman angelegt, aber zumindest für die Keie-Figur noch nicht vollendet. Keie wächst in seiner Funktion und Handlungsbedeutung erst allmählich neben Gawein, der freilich seine grundsätzliche Überlegenheit über Keie nach wie vor behält: Aber der Abstand wird geringer, wie es der *Parzival* Wolframs zeigt. Im *Erek* ist die Differenz von Keie und Gawein noch groß; Gawein ist das unverrückbare Ideal.[16] Die Figurenbeziehung von Held, Gawein und Keie ist noch ganz episodenhaft konzentriert auf die Zwischeneinkehr bei Artus. Diese „Artus-Hof"-Station hat zwar schon gliedernde Funktion für den *Erec*, aber die entscheidende Funktion von Gawein und Keie auf dem Weg des Helden ist noch nicht erkannt: Ihre „Handlung" ist nur p u n k t u e l l, wenn auch schon mit

---

[14] Der *Perceval* ist bekanntlich Fragment; er sollte vielleicht den doppelten Umfang haben, vgl. dazu u. a. KELLERMANN, W., S. 29 f.
[15] Vgl. EMMEL, H., S. 145 u. KELLERMANN, W., S. 54.
[16] Die Gauvain-Figur als „statische Größe", KELLERMANN, W., S. 37.

strukturell gliedernder Absicht eingeschaltet in die Mitte des Hauptteils, zwischen zwei spiegelbildlich angeordnete *aventiuren*-Reihen des Roman-Helden.

Der Aufbau des *Lancelot* Chrétiens ist weniger einsichtig; man hat von „gestörter Struktur" gesprochen.[17] Teils zeigen sich „frühe", teils „spät-höfische" Strukturmerkmale: Eine „Keie-Handlung" ist rudimentär ent-wickelt, aber sie bleibt fragmentarisch und in sich nicht schlüssig. Der „Hof-Szene" folgt unmittelbar, ohne Retardation die „Kampf-Szene" (gegen den „falschen" Gegner); der Bezug zur „Lancelot-Handlung" ist diffus. Die „Gawein-Handlung" ist dagegen bereits reich entfaltet, sie verläuft parallel zu der Lancelots.[18] Der Zielpunkt „Artus-Hof" und der Kontrast zur „Keie-Handlung" ist ebenfalls schon vorhanden. In dieser „Gawein-Handlung" liegt aber auch der Keim zur späteren Aufschwel-lung in den *Parzival*-Romanen und vor allem im „spät-höfischen" Roman insgesamt. Erste zentrifugale Tendenzen zeigen sich in der Struktur an: Aus dem Roman mit dem einen Helden (Typ *Erec*) wird mehr und mehr einer mit zwei Helden.[19] Gawein entfernt sich wie der Romanheld *Lan-celot* vom Artus-Hof, um eigene Bewährungs-Abenteuer zu bestehen. Da-mit verliert der „Artus-Hof" an Bedeutung. Die Desintegration des Fi-guren- und Handlungs-Gefüges im späten Artus-Roman des 13. und 14. Jhdts. zeichnet sich also früh ab.

Keie, die zweite statische Figur im Umkreis des Königs, bleibt dagegen sowohl im hoch-höfischen wie im spät-höfischen Roman an das Zentrum des Artus-Hofes gefesselt. Sein Aktionsraum als Truchseß und darüber hinaus seine Denk-Dimension bleiben die des Artus-Hofes. Den höfisch-konventionellen Zuschnitt der Artus-Gesellschaft überschreitet er in kei-nem Moment, vielmehr bleibt er in seinem schlecht verstandenen und praktizierten Begriff von *êre* noch unterhalb dieses Niveaus. Diese seine Begrenzung spiegelt sich exakt in der Struktur des Romans. Keie hat eben, wie ausgeführt, nur eine Funktion in der „Vorgeschichte": Hier bewegt sich die Handlung relativ unproblematisch im vordergründig Gesellschaft-lichen, hier geht es um den Mechanismus von *êre*-Anzweiflung und -Be-stätigung, während jenseits der Katastrophe des Helden im Roman-„Hauptteil" nur noch Gawein in seiner relativen Selbständigkeit zum

---

17 Vgl. Köhler, E., S. 243.
18 Vgl. Kellermann, W., S. 15.
19 Vgl. u. a. Köhler, E., S. 240.

Artus-Hof sich dem Rang und der Problematik des Helden zugänglich und gewachsen zeigt. Gestalt, Funktion, Handlungsraum stimmen sowohl bei Keie wie bei Gawein bruchlos zusammen.

War erst einmal von den Autoren Keies mögliche Funktion im Weg des Romanhelden erkannt, dann konnte sich rasch eine entsprechende „Keie-Handlung" herausbilden, die die Roman-Haupthandlung mit-konstituiert: Der Gehalt sucht sich diejenige Form, die seine Intention zum Ausdruck bringt. Erst dadurch, daß es in der Entwicklung des „Artus-Romans" möglich wird, Keies Funktion und „Handlung" p a r a l l e l neben die Gaweins zu rücken, stehen dem jeweiligen Protagonisten — und zugleich dem Hörerpublikum dieser Romane — in den Figuren Gawein und Keie die polaren Kräfte individualistischer Vereinzelung und gesellschaftskonformen Verhaltens a m A r t u s h o f s e l b e r vor Augen, denen der Held in seiner exemplarischen Entwicklung zu g l e i c h e n Teilen ausgesetzt wird.

Es erweist sich also das „Formprinzip der Zweiteilung" [20] als ein überall wiederkehrendes Bau-Prinzip: Es beherrscht die Trennung von „Vorgeschichte" und „Hauptteil" und die zunehmende Kontrastierung und Parallelführung von Protagonisten- und „Gawein-Handlung" einerseits, von „Gawein"- und „Keie-Handlung" andererseits. Die von E. Köhler herausgearbeitete Grundthematik des „Artus-Romans", die Spannung von Individuum und Gesellschaft, bestimmt in wechselnden dialektischen Verhältnissen j e d e der Figuren: Keie propagiert am Artus-Hof die gesellschaftliche Integration, bewirkt aber seine Isolation und die des Romanhelden. Gawein isoliert sich als Einzelheld freiwillig, erreicht aber als „gesellschaftliches Gewissen" [21] des Romanhelden die gemeinsame Integration. Der „Held" selber schließlich steht ständig in der Dialektik zentripetaler und zentrifugaler Kräfte in der Auseinandersetzung mit den Exponenten Gawein und Keie.[22]

---

[20] KÖHLER, E., S. 246.

[21] KÖHLER, E., S. 240.

[22] KÖHLER betrachtet nur das Spannungsverhältnis von Gauvain und Perceval, ohne zu berücksichtigen, daß gerade auch in und durch eine Figur wie Keie die Gesellschaftsproblematik des Artus-Romans vertieft und komplettiert wird.

Der *aventiuren*-Weg des Helden:

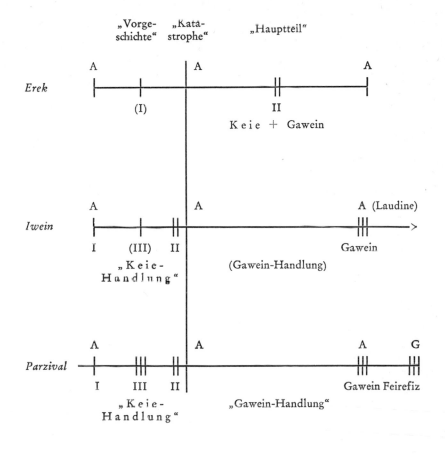

I   „Hof-Szene" Keies

II   „Kampf-Szene" Keies

(III)   „Zwischen-Szenen" Keies, angedeutet

‖   Kampf mit dem „Held"

A   „Artus-Hof"-Station

G   Grals-Welt

VII. Die Keie-Figur im s p ä t - h ö f i s c h e n Artus-Roman

Bei Chrétien, Hartmann und Wolfram wurde sichtbar, welche Funktion und Handlungsposition die Keie-Figur von den ersten Artus-Romanen an bis zum *Parzival* erhalten hatte. Hier war ein Modell eines bestimmten ritterlichen, aber nicht unbedingt höfischen Verhaltens geschaffen worden, nach dem sich die folgende Literatur richten konnte und wollte. Zur Frage steht in diesem Kapitel: Wird diese Bedeutung Keies verändert im „Artus-Roman", der auf Hartmann und Wolfram folgt? Gelingt es den Autoren des späteren 13. Jhdts., das erreichte Niveau des künstlerisch-geistigen Bewußtseins und der Gestaltung zu halten?

Man kann diese Romane hier insgesamt behandeln trotz der großen Zahl und des langen Zeitraumes. Ein methodischer Grund spricht dafür: der einheitliche Gesichtspunkt. An den Fragestellungen und den bisher erzielten Ergebnissen dieser Untersuchung sind die Keie-Darstellungen der Hartmann- und Wolfram-Nachfolger zu messen. Die Legitimation erhält man daraus, daß die Romane selber in Form und Ethos sich am hoch-höfischen Roman als an einem Vorbild ausrichten — Bezugspunkt ist der Begriff des „Höfischen". Alle diese Artus-Romane stehen im „Bann-kreis"[1] der höfischen Dichtung von Hartmann und Wolfram und signalisieren deutlich durch eine Fülle von Anspielungen und Motiv-Aufnahmen ihre Abhängigkeit. Als (vorläufige) Sammelbezeichnung empfiehlt sich daher der Begriff „spät-höfischer Roman", ohne daß man bereits genau wüßte, was inhaltlich darunter zu verstehen ist. Ein Vor-Urteil ist nicht leicht zu vermeiden: diese Literatur als die einer Verfallszeit von vornherein und allzu summarisch zu diffamieren und die Autoren schlankweg als „Epigonen"[2] abzutun. Im Vergleich zu Hartmann und Wolfram sinken im 13. und 14. Jhdt. freilich künstlerische Potenz, geistige Bewältigung, literarischer Geschmack: Um diese Einsicht kommt man nicht herum. Notwendig greift man zu negativen Kategorien der Beurteilung, erkennt aber auch zuweilen Gewinne von künstlerisch selbständiger, meist realistischer Detailzeichnung. Der „höfische Roman" (in Versform) ist, im

---

[1] DE BOOR, H., Gesch. d. dt. Lit. II, S. 171.
[2] BROGSITTER, K., a. a. O., S. 107.

Grunde schon bei Wolfram, eine literarische Gattung ohne Zukunft; der Artusstoff sucht sich seine nach wie vor große Wirkung in anderer, hier nicht zu berücksichtigender Form (Prosa-Roman).

Die allmähliche Veränderung in Gehalt und Stil ist charakteristisch fest-zustellen an Hand der Keie-Darstellung. Keie bleibt zwar erhalten als wohlbekannte, unabdingbare Figur, wird aber immer mehr zur Attrappe reduziert und Stück um Stück seiner alten Bedeutung entkleidet. Die verän-derte Darstellung der Keie-Figur, die ja bisher der (negativen) Bestätigung des „Höfischen" diente, erlaubt somit einen Rückschluß auf die Verbind-lichkeit und die Glaubwürdigkeit des Artus-Kreises und der höfischen Werte-Welt insgesamt. Welchen übergreifenden Tendenzen des „Spät-Höfischen", wobei der Begriff eben nur heuristisch verwandt wird, ist die Keie-Figur ausgesetzt? Hier werden mehrere Entwicklungsformen und Verfalls-Möglichkeiten der Keie-Darstellung zu unterscheiden sein. Dem Ziel dieser typologischen Klärung dient die A u s w a h l der zu behan-delnden Werke wie auch der Verzicht auf eine streng chronologische, von vornherein unsichere Folge.

W i r n t v o n G r a f e n b e r g ist noch ein Zeitgenosse Hartmanns und Wolframs; er hat von beiden gelernt. Aber der innere Abstand ist groß: Seinen Artus-Roman *Wigalois* bezeichnet H. de Boor (abschätzig) als „Unterhaltungsroman".[3] An der Darstellung der Keie-Figur kann man das zeigen: Wenn Wirnt wirklich die ersten sechs Bücher des *Parzival* gekannt hat [4], so hat er jedenfalls Keies bedeutende Funktion für Parzival nicht verstanden. Eine einzige dürftige kleine Szene widmet er Keie in der „Vorgeschichte". Keie ist für Wirnt so bedeutungslos, daß er ihn weder mit dem Helden noch mit Gawein in Beziehung setzt. Die geschei-terte Befreiung der Königin (Motiv des *Lancelot*), ihm vielleicht aus Hartmanns *Iwein* bekannt, wiederholt er so getreulich wie phantasielos:

> *Kaii den schilt ze halse nam;*
> *mit zorn er uz ze velde kam:*
> *er wolde bejagen den gewin.*
> *mit grozen schanden vloz er hin,*
> *wand in der ritter niderstach —*
> *daz ez diu künneginne sach —*
> *von dem orse uf daz gras.* (451 ff.)

---

3 DE BOOR, H., a. a. O., S. 89.
4 Dgl., S. 87.

Alles ist hier Zitat, dürre Repetierung literarischer Muster; neu ist eigentlich nur das Maß der „Auslassungen": Wirnt erörtert nicht, wie noch jeder Dichter vor ihm, die Problematik Keies, er zeigt ihn nicht als eigentümlich herausragende Gestalt, nicht als *kâtspreche*, sondern als einen Ritter unter vielen der Tafelrunde, die alle dem fremden Herausforderer nachsetzen und im Zweikampf verlieren, sogar der bisher unbesiegbare Gawein.

Die Szene wirkt wie eine Pflichtübung, um dem herausgebildeten Topos gerecht zu werden. Wirnt begreift nicht, oder er verzichtet auf das entscheidende Motiv: die Kritik Keies am Helden. Keies pädagogische Funktion ist hier überflüssig geworden. Wigalois ist von vornherein der vollkommene Held, mit dem bestenfalls der Vater und Erzieher Gawan konkurrieren kann. Das Hauptgeschehen des Romans vollzieht sich in ungewohnten Bahnen: Heiden-Kämpfe, ein brennendes Schloß, eine Art von „Unterwelt" und andere spektakuläre *aventiuren*. Der Artus-Kreis und damit auch Keie geraten aus dem Blickfeld.

Diese tiefgreifenden Veränderungen sind erstaunlich bei einem Autor, dessen Werk man allgemein ins erste Jahrzehnt des 13. Jhdts. setzt[5]. Unter und neben der „Klassik" (Chrétiens), Hartmanns und Wolframs siedelt sich offenbar eine Literatur modischer Ritter-Romantik an, die deutlich bereits sog. „spät-höfische" Züge trägt: Die „Artus-Station" wird ausgehöhlt, Gawein (und damit die Artus-Idealität) wird seiner Statik und fraglosen Vollkommenheit entkleidet, Keie wird völlig bedeutungslos.

Sehr ähnliche Züge zeigt ein zweiter, gleichfalls früh anzusetzender Roman, der *L a n z e l e t* des U l r i c h v o n Z a z i k h o f e n. Auch hier erleidet Keies Funktion und Position eine starke Einbuße. Er ist ohne Bedeutung in einer Romanhandlung, die z. T. abstruse Zauber- und Kampf-Abenteuer Lanzelets aufeinanderhäuft (immer wieder Befreiung von Jungfrauen mit anschließender Heirat Lanzelets). Nur punktuell und situationsbedingt, nicht von langer Hand vorbereitet und motiviert wie z. B. im *Parzival* ist der Kampf Keies gegen den „Fremden" (Die Quelle ist nicht Chrétien, der keinen Kampf mit Lancelot schildert).[6] Dieser Kampf gegen Keie ist keine „Prüfung" für Lanzelet zur Aufnahme in die Tafelrunde: Einmal ist Lanzelet (wie Wigalois) schon der von vornherein vollkommene Held, der auch die Auseinandersetzung mit Gawein

---

[5] DE BOOR, H., a. a. O., S. 87.
[6] Dgl., S. 85.

nicht fürchtet, zum andern wird die (symbolische) Bewährung in der „Kampf-Szene" gegen Gawein und Keie ersetzt durch einen „Prüfstein", einen „E h r e n s t e i n", auf den sich nur der sog. *tugenthafte* setzen kann: Ein mechanisches Mirakel ersetzt lebendige menschliche Auseinandersetzung. Eine Krise und eine „Resozialisierung" in die höfische Gesellschaft wie Iwein oder auch Erek, den der Zazikhofer sicherlich vom benachbarten Hartmann kannte [7], muß dieser Artus-Held Lanzelet nicht mehr durchmachen. Ein an sich erst typisch „spät-mittelalterlicher" M o - r a l i s m u s kündigt sich hier an. Dieses abstrakte *tugent*-Ideal, das inhaltlich mehr und mehr ausgehöhlt wird, ist das Resultat einer Rationalisierung: Was immanent im „klassischen" Artus-Roman in der Erzählung, im symbolischen Kampf offenlag, das wird hier nahezu gewaltsam auf den Begriff gebracht. „Tugend" wird formalistisch bewiesen durch den Mechanismus einer „philiströsen Tugendprobe" [8]: „Ehrenstein", „Tugendmantel", „Tugend-Handschuh", diverse „Becherproben" werden bald in jedem Artus-Roman austauschbare und beliebig vermehrbare, innerlich aber funktionslose Mittel, den nach wie vor behaupteten I d e a - l i t ä t s - A n s p r u c h der Artus-Gesellschaft durchzusetzen. Aber die durchschnittlich geringe künstlerische Potenz der Dichter bringt kaum eine glaubhafte Verwirklichung des Anspruches zu Wege. Der enge Zusammenhang der „Tugendprobe" mit der A l l e g o r i e [9], der (nach Huizinga) Niedergangsform des hochmittelalterlichen Symbolismus, besteht in der blassen formelhaften Abstraktion.

Keies innere und äußere Funktionslosigkeit ist aber für einen mediokren Autor wie Ulrich kein Grund, auf die traditionelle, publikumswirksame „Kampf-Szene" zu verzichten; er ist mit Keies Eigenschaften vertraut: der *arcsprechende* (2931) erinnert an Hartmanns *kâtspreche;* ehrgeizig stürzt sich Keie in Kampf und Niederlage:

> Er [L.] *stach herrn Keiïnen so,*
> *daz im diu füeze harte ho*
> *uf ze berge kaften*
> *und dem zalehaften*
> *daz houbet gein der erde fuor.*
> *Ez was ein horwigez muor ...*
> *wan er viel in einen graben,*
> *daz ims hor durch die ringe dranc.* (2911 ff.)

---

[7] DE BOOR, H., S. 85.
[8] EMMEL, H., a. a. O., S. 170.
[9] HUIZINGA, J., Herbst des Mittelalters, Kröner, Stuttgart 1961, S. 215.

Die drastische Ausmalung ist neu: Quantitative Übertreibung und derbe Situationskomik (vgl. Kap. VIII) sind Züge, die ebenfalls auf den Roman des späteren 13. Jhdts. vorweisen. In der Stellung Keies innerhalb der Hofgesellschaft schließt sich aber Ulrich zunächst an das traditionell zwiespältige Urteil von Hartmann an:

> *die gesellen lobten die getat*
> *unt heten gerne doch gesehen,*
> *waer im ein unere geschehen,*
> *wan er sich spottes an nam,*
> *der nie staetem man gezam* (2902 ff.)

Das Keie-Bild verschiebt sich, vielleicht ohne daß der Autor es beabsichtigt, dann aber in einer bisher unbekannten Szene: einer „Mantelprobe". Keie protzt, nur seiner Dame(!) passe der Tugendmantel; aber nicht nur diese, sondern alle Damen [10], einschließlich der Königin, versagen. Die Artus-Idealität verblaßt im (erotisch aufgeheizten) Schwank. Das hat eine direkte Folge für die Keie-Darstellung: Keie ist hier nicht mehr die „unhöfische" Kontrast-Figur, weil a l l e sich blamieren, wie schon im *Wigalois*. Aus seiner Außenseiter-Rolle aber hatte sich seine Funktion entwickelt im hoch-höfischen Roman. So zeigt sich bereits im „frühen" *Lanzelet* Ulrichs von Zazikhofen die D i s k r e p a n z von traditioneller C h a - r a k t e r i s i e r u n g und fehlender F u n k t i o n der Keie-Figur, ein innerer Bruch, der die Keie-Darstellung des „spät-höfischen" Romans insgesamt kennzeichnet. Man wird zu der Überlegung gezwungen, falls dieser Roman wirklich „einer der frühesten Artus-Romane" [11] ist, daß die gängige Periodisierung der höfischen Literatur nach ‚früh', ‚hoch', ‚spät', jedenfalls unter dem Aspekt der Keie-Darstellung, fraglich wird.[12]

Ein ähnliches Problem stellt der zeitlich noch fast der klassischen mittelhochdeutschen Literaturepoche zuzurechnende Artus-Roman des S t r i k - k e r (von 1220—1230): der *D a n i e l vom blühenden Tal*. Die Rolle der Tradition ist groß in der Keie-Darstellung: Der Stricker, bewandert in vieler Literatur, schließt sich eng an Hartmann an; die zwiespältige Beurteilung Keies im ausführlichen Charakter-Exkurs (143—159) könnte im *Iwein* stehen, ist aber ohne jedes Hartmannsche Interesse an Psychologie und Deutung:

---

[10] (selbstverständliche) Ausnahme: Lanzelets *vriundin*.
[11] Sparnaay, H., a. a. O., S. 106 f.
[12] Vgl. über diese Frage Kap. IX (Zusammenhänge).

> ouch hate der künec Artus
> durch ein wunder in sinem hus
> den schalkhaftesten man,
> der ritters namen ie gewan.
> der was geheizen Keii
> und was aber dabi
> der aller küeneste man,
> den der hof ie gewan (143 ff.)

Immer wieder tauchen Hartmanns Formulierungen auf, auch das bekannte *als ein sac* (beim späteren Sturz, s. u.), oder auch aus dem *Wigalois* (z. B. 448). Man muß von E k l e k t i z i s m u s sprechen (unter diesem Aspekt ist auch seine voluminöse Bearbeitung des alten „Roland-Liedes" (*Karl*) zu sehen).

Die Treue im Detail steht nun auch beim Stricker im Widerspruch zur Funktionslosigkeit der Keie-Figur im Ganzen. Auch wenn das Indiz der „Tugendprobe" diesmal fehlt, so ist die Ursache doch die gleiche wie im *Wigalois* oder *Lanzelet*: Der Stricker erfindet unbekümmert einen neuen Roman-Helden Daniel, der alles Bisherige in den Schatten stellen soll. Der Stricker nimmt dabei insofern wieder Rücksicht auf die Tradition, daß von den zu Hauf versammelten Helden der literarischen Vergangenheit nur Gawein, Iwein, Parzival dem neuen Mann nicht unterliegen. Keies Niederlage ist also aus der Niederlagen-Serie der Artus-Ritter nicht herausgehoben (vgl. *Lanzelet*), er bedeutet auch nicht wie früher endliche Abrechnung mit dem *kâtspreche*. Auf Keies traditionelle Arroganz (178) folgen sogleich Kampf und Sturz:

> do wart her Keii genomen
> an der ritterschefte
> und wart mit solher krefte
> gestochen âne sinen danc,
> daz er wol eins spers lanc
> von dem rosse niderviel. (194 ff.)

Daß der Stricker nicht den Sinn der Niederlage Keies begreift, läßt sich an einem Motiv zeigen: Der Sieger Daniel fängt das „ledige Pferd", im klassischen Artus-Roman das Symbol der Schande, und gibt es ohne Zögern an Keie zurück (202). Der Verlust der „kritischen" Funktion gegenüber dem Helden läßt Keie auch hier zur bedeutungslosen, ephemeren Randfigur absinken; im Gesamtbau des Romans, der abwechselnd Daniel-Abenteuer und Artus-Schlachten (!) bzw. -feste reiht, spielt Keie keine Rolle.

Diese R e d u k t i o n steht, das konnte auch an den bisherigen Romanen gezeigt werden, in unmittelbarem Zusammenhang mit dem neuen Typ des „ S u p e r h e l d e n ": von Beginn an „vollkommen", ohne jede Entwicklung, eine Bewährung vor der Artus-Gesellschaft ist überflüssig. Im Gegenteil: Der Artus-Hof wird zunehmend realistisch gezeichnet, verfällt selber der Kritik; die Gesellschaft verroht, Keie wird mit maßlosem Haß überschüttet (3305). Durch Keies Unverschämtheit (z. B. gegenüber dem König) wird die Artus-Idealität schwer getroffen. Die alten Figuren-Beziehungen verändern sich, das Verhältnis von Zentrum (Artus) und Peripherie (Held) verschiebt sich zusehends. Die Reduktion der Keie-Figur ist damit als Indiz aufzufassen für den allmählichen Verfall des gesamten Artus-Kreises.

Die Funktionslosigkeit der Keie-Figur erlaubt andererseits eine hemmungslose Vermehrung publikumswirksamer Keie-Niederlagen, die sinnlos in die Romanhandlung eingestreut werden: Qualität fällt in Quantität zurück. Diese H ä u f u n g ist neben der R e d u k t i o n die zweite, nur scheinbar widersprüchliche Möglichkeit der Keie-Entwicklung — beides Formen des gleichen Funktionsverlustes. Der Stricker bietet ein Beispiel gleich auch für diese zweite Tendenz: Die Kampfes-Niederlage Keies wird zunehmend variiert und ausgemalt. Realistisch wird der phantastisch-komische „Riesen-Kampf" ausgeführt:

> er ergreif im bi dem beine,
> des wart sin vechten cleine
> er truoc in rehte als einen stoc
> daz halsberc und der wafenrock
> diu vielen im uber daz houbet.
> er wart also betoubet,
> er hate ez vil nach iemer genuoc
> der rise umbe sich sluoc ...
> ez waz bi einer linden,
> da Keie dem blinden [Riesen]
> uz der henden entwischte ...
> er quam rehte uf einen ast,
> der oben an der linde was,
> der half im daz er genas
> und viel do vil vaste
> von aste nider ze aste,
> unz er ze jungest gelac
> uf der erden ‚als ein sac‘ (3271—3302)

Realistik und Phantastik widersprechen einander nicht [13]: In ihrer Durchmischung darf man sie gleichfalls als typisch „spät-mittelalterlich" bezeichnen. Jeder der jetzt folgenden Romane zeigt diese Merkmale. Quantitative Übertreibung einzelner Züge, Verzerrung ins Schwankhafte in der Art des Strickers, der ja im übrigen der Verfasser einer ersten Schwank-Sammlung ist, kennzeichnen die spätere Keie-Darstellung ebenso wie die Reduktion und Aushöhlung von Keies Position im Ganzen.

Die allgemeinen Wucherungs- und Desintegrations Tendenzen versucht allerdings in einer Art von Gegen-Roman zum Stricker der P l e i e r aufzuhalten in seinem *G a r e l von dem blühenden Tale* (um 1260). Hochhöfische Idealität und „klassische" Ökonomie der Darstellung sollen wiederhergestellt werden, eine bemühte Restaurierung, literaturgeschichtlich gesehen: vergeblich. Es bleibt ein vereinzelter Versuch, sich gegen die Entwicklung zu stemmen.

Auch in der Keie-Darstellung will der Pleier den Stricker „verbessern". Der höfische Werte-Kodex und der klassische Stil, vor allem wieder Hartmanns, sind sein Vorbild. Man findet eine Fülle von Anspielungen (z. B. Kampf gegen den Entführer der Königin) und huldigenden Zitaten (auch aus anderen Werken als denen Hartmanns).[14] Die Keie-Szenen folgen aber nicht nur im Einzelnen, sondern auch in ihrer Verknüpfung weitgehend dem *Iwein*. Mit Pedanterie und Weitläufigkeit paraphrasiert der Pleier im Grunde nur die Iwein-Keie-Handlung bei Hartmann: Am Anfang („Hof-Szene") Spott gegen den Helden, der schließlich den Hof verläßt; von Keie erneut geschmäht, von Gawein verteidigt, erscheint später Garel unerkannt und bestraft den Spötter. Die klassische „Keie-Handlung" ist hier noch einmal hergestellt, ein Beweis dafür, daß sie der aufmerksame Leser oder der nachschaffende Künstler wahrnahm und ihre Funktion erkennen konnte. Der Pleier ist dabei fast zu deutlich und hausbacken: Garel gesteht die Berechtigung der Kritik durch Keie grundsätzlich zu (626), auch wenn er weiß, daß Keie neidisch auf seine *êre* ist (17928). Selbst subtile Motive hat der Pleier nachgebildet: Keies Selbstüberschätzung und verblendete Reden (17772) aus dem *Iwein*, scheinheilige Zerknirschung des *valschen manes* (18214) aus dem *Erek*, aber auch seine Kühnheit (18205), schon gestürzt, den Sieger Garel noch mit dem Schwert zu bedrohen. Die Rolle des „ledigen Pferdes" kennt der Pleier ebenso wie

---

13 Beispiele bei HUIZINGA, J., a. a. O., S. 13 ff.
14 Z. B. Wolframs *swie klein ich des die volge han*, Parz. 296, 21, Gar. 621.

die zwiespältige Meinung der Gesellschaft. Der Kampf selber ist „klassisch-gedämpft", ohne Ansatz zur Ausmalung, wieder fast mit Hartmanns Worten:

> *diu tjost wart guot und riche*
> *Kei vil gar sin sper zerbrach,*
> *Garel in flügelingen stach*
> *hinders ors uf den plan* (17994 ff.)

Man ist zum Vergleichen und Werten geradezu gezwungen: Diese Keie-Darstellung ist ohne jede Originalität; sklavisch wird Hartmann nachgeahmt, wobei des Pleiers Geschwätzigkeit zu Tage tritt, z. B. in dem selbstverständlich auch und gleich zweifach vorhandenen „Charakter-Exkurs" (vgl. auch 17 832 ff.):

> *Keie der was unverzeit,*
> *geloubet mir ein maere:*
> *wan daz er was ein spottaere*
> *so was Kei der küenest ein man,*
> *den Artus indert mohte han,*
> *wan daz er sich verworhte,*
> *Kei der unervorhte* ... (17854 ff.)

Das Verhältnis Keies zum König ist gleichfalls völlig konventionell geschildert. Die Kritik des Königs (657) und die Gegen-Kritik Keies, der immer das letzte Wort behalten will, weisen auf den *Iwein* und *Parzival* zurück. Sein bestechendes Imitationsvermögen und sein allzu perfekter höfischer Stil lassen den Pleier als „Epigonen" erscheinen: Hier muß diese heikle Kennzeichnung einmal gebraucht werden, wobei ihm „lebendige Beziehung zum Ritterdasein und schlichtes und klares Empfinden für seine Werte" [15] durchaus nicht abgesprochen werden sollen. ‚Gut gemeint' ist oft genug, mit Gottfried Benn zu sprechen, der Gegensatz zur ‚Kunst'.

Folgt der Autor bis in Einzelheiten Hartmanns Keie-Darstellung, so ist das Roman-Ganze viel stärker, vor allem auch strukturell, bestimmt von der Gegen-Dichtung des Stricker. Das führt zu einem Konflikt sowohl des Stils wie der Struktur. Der Umriß der „Keie-Handlung", wie sie bei Hartmann entwickelt wurde, wird zwar vom Pleier brav repetiert, sie hat aber für die gesamte, sehr umfängliche Romanhandlung längst nicht die alte Bedeutung. Der Pleier besitzt ein hohes Einfühlungsvermögen in die Struktur des klassischen Artus-Romans, aber sein Formverständnis ist nur wirklich groß im Detail. Seine Kunst reicht nur hin zur getreulichen

---

[15] Besch, W., Vom ‚alten' zum ‚niuwen' Parzival. in: DU 14, 1962, H. 6, S. 96.

Nachschaffung von für ihn begreifbaren, d. h. eben begrenzten Bedeutungen und Strukturen.

Über den Restaurationsversuch des Pleier geht die Entwicklung des höfischen Romans hinweg in andere Richtungen. Die Artus-Wunschwelt, immer unglaubwürdiger, wird entweder ins Grotesk-Märchenhafte entrückt oder von Desillusion und Realistik eingeholt. Auf das Modell des „Bewährungs-Abenteuers" verzichtet keine Ritter-Romantik, nur wird es jetzt auch in anderen Bereichen gesucht. In Schlachten von großen Ritter-Heeren, in verwunschenen Zauberschlössern, auf endloser Grals-Suche wird der Stoffhunger und die *aventiuren*-Lust des Publikums befriedigt im Riesenwerk des A l b r e c h t [16] (von Scharfenberg): „*Der Jüngere Titurel*" von ca. 1270. Mit der Artus-Position wird auch die Keies in Mitleidenschaft gezogen: In der unübersichtlichen Romanhandlung spielt er keine Rolle, eine begründete Beziehung zum Helden Schionatulander besteht nicht. Die traditionelle Charakterisierung ist schematisch ausgeführt, Muster ist Hartmanns Beschreibung, nicht die Wolframs, wie man vermuten könnte:

> *des Kunninges truchsaeze was genant her Keye*
> *der was so strites rase, ob al der werlde lebte niender leie,*
> *der mit rede wer so swacher zungen*
> *und des libes gar ein helt, vor aller zagtheit gar unbetwungen.*
> (1383 ff.)

Die „Kampf-Szene" folgt sogleich als ritterliche Normal-Reaktion auf Keies arroganten Ausfall gegen Schionatulander (1366, 2):

> *der kunde niht erwinden,*
> *er wolt der erste werden*
> *den alten und den kinden ze spotte*
> *er wart mit valle ze der erden*
> *sin ors began der herberg ramen*
> *sin sper nach eren wart vertan,*
> *doch lac er unversunnen uf dem samen* (1384 ff.)

Diese dürre Schilderung wirkt fast wie eine Parodie. Auf realistische Ausgestaltung wird verzichtet; in jeder Zeile wird ein Topos des allbekannten Keie-Kampfes aufgezählt. Als Motiv scheint er erschöpft: Der Kampf kann nur mehr einer unter vielen belanglosen sein, wenn man nicht länger

---

[16] Zuordnung unsicher, vgl. dazu z. B. WOLF, W., Wer war der Dichter des „J. T.", in: ZfdA 84, 1953, S. 309 ff.

Keies Funktion erkennt und anerkennt. Der voluminöse und kompliziert-verworrene Roman galt lange Zeit als Werk Wolframs: Allein die dürftige Keie-Darstellung hätte rasch die Distanz erhellt.

Spiegelte sich der generelle Funktionsverlust der Keie-Figur im nachklassischen Artus-Roman im Falle des *Jüngeren Titurel* auch äußerlich in der Reduktion der Keie-Figur, so verwirklicht die andere, scheinbar entgegengesetzte Tendenz (s. o.) der Keie-Darstellung — Übertreibung und Umschlag in Quantität — ein Artus-Roman, der „alles Bisherige überbieten will" [17]: *Der aventiure crone* des H e i n r i c h v o n d e m T ü r - l i n (ca. 1230—1240), zeitlich nur wenig nach dem im Typ verwandten Roman des Stricker. Man ist hier nun wirklich gezwungen, mit negativen Kategorien zu charakterisieren: Es handelt sich in diesem Riesenopus von 30 000 Versen um Kompilation großen Stils; man könnte vom ‚Kolportage-Roman' des Mittelalters sprechen.

Ganz in Gegensatz zum *Jüngeren Titurel* nehmen die Keie-Szenen einen großen Umfang ein. Keie schwillt zu einer Art von Hauptfigur an, freilich nur in einem ganz äußerlichen Sinn. Da die Szenen-Typen dieser Figur von je her eng begrenzt sind, dem Dichter große Originalität auch nicht zuzutrauen ist, erschöpfen sich diese Szenen in sinn- und bald auch effekt-loser R e p e t i e r u n g . Gleich fünfmal wird Keie in diversen Kämpfen vom Pferd gestoßen, der Sturz wird wiederum übertreibend ausgemalt (*in den burcgraben,* 3032), auch hier werden eifrig frühere Artus-Romane zitiert.[18]

In der zwiespältigen Beurteilung [19] Keies bleibt der Autor gleichfalls der Tradition, vor allem wieder Hartmann, verpflichtet. Auf Keies Amt wird Wert gelegt, obwohl er ständig besiegt und lächerlich gemacht wird: *daz her vuort in siner pflege/ her Keii, daz was sin reht* (22 219). *tugent, manheit, ganze triuwen* (16 943) werden ihm zugesprochen (vgl. a. 16 866) und andererseits mehrfach auf seine Fehler verwiesen:

> *ein staeter haz, ein ewic nit,*
> *ein gift und ein eiter* (1730, vgl. 1745, 3517)

Durch des Autors Tendenz zur Übertreibung einzelner Züge entstehen in der Keie-Charakterisierung unüberbrückbare Widersprüche; sie wird

---

17 BROGSITTER, H., a. a. O., S. 108 f.
18 Z. B. v. 3698: vgl. Iwein 75 oder: v. 10233 ff. — *Lancelot*-Motiv.
19 Vgl. die Spiegelung im Publikum v. 26889, dagegen v. 29784 ff. oder auch vv. 3175, 12475, 13468.

unglaubwürdig. Keie degeneriert zur K a r i k a t u r seiner selbst. Heinrich ist um Psychologie völlig unbekümmert, naiv macht er die Keie-
Figur für die jeweilige Siuation zurecht. Mehrfach holt der Dichter auch
zu den traditionellen „Charakter-Exkursen" aus (z. B. 1521), schließt
sich dieses Mal aber an Wolframs Deutung an, wiederum gleichgültig
gegen Widersprüche etwa zu Hartmanns oder zur eigenen Darstellung:

> daran möget ir wol sehen,
> daz sin spot niht von nide gie.
> Die besten er minnet ie,
> und was ze male den boesen gram,
> iedoch er nieman uz nam;
> so er spotten began,
> nieman was des tadels án;
> anders was er ein frum man. (22 143 ff.)

Weshalb tritt Keie in diesem Roman so häufig in Erscheinung? Keies
Spott kann so oft eingesetzt werden, weil *nieman was des spottes án:* in
mehreren der beliebten (s. o.) „Tugend-Proben", bei denen jeweils etwa
zwanzig bis dreißig Damen und Herren versagen, die Keie dann mit an-
züglichem, z. T. derb-erotischem Spott überfällt. Die Keie-Figur, deren
alte „Kritik-Funktion" verdrängt und ausgehöhlt wurde durch die „Tugendprobe", erhält also ironischerweise gerade d u r c h die „Tugend-
probe" wieder neuen Spielraum, einen größeren fast als bisher, freilich
völlig veräußerlicht. Das erlaubt einen Rückschluß auf die Darstellung der
Gesellschaft. Keiner, auch z. B. die Königin nicht, widersteht der
„Tugend-Probe" und Keies anschließendem Spott, weil das elitär-aristo-
kratische Bewußtsein schwindet: *unser keiner ist so here* (1826):

> des muoste man ez liden,
> wan ez nieman vermiden
> mit decheiner tugende kunde (24 063 ff.)

Aber Keie wiederum fehlt jede innere Legitimation: Sein Spott ist wir-
kungslos. Keiner fühlt sich wirklich beleidigt; man amüsiert sich über
Keie, der zu einer Art von „Hofnarr" herabsinkt. Keies ursprünglich
ernsthafte und wirksame Kritik, die diese Hof-Gesellschaft mehr denn je
nötig hätte, verkommt zu hemmungsloser Schimpferei. Der König kritisiert zwar seinen Truchseß (1748 f.), aber dieser behält wie gewöhnlich
das letzte Wort (1785), die Gesellschaft lacht heimlich über den König.
Keie ist nur — relativ — so *ungehiure an libe und an zunge* (1830), weil
der König und der Hof die Kritik verdienen. Keie kann den bisher „ide-

alen" König in Hof- und Parteien-gezänk hereinzerren. Artus ist nicht mehr der ruhende Pol des Romangeschehens, er hat jetzt selber *aventiuren* zu bestehen (z. B. gegen Gasozein). Seiner einstigen Idealität im *Iwein*-Prolog schon längst entkleidet, stellt ihn Heinrich von dem Türlin realistisch dar: z. B. vor Kälte zitternd im Winterwald (4333 ff.) — das ist kein Pfingstfest mehr des *maienbaeren man* von Wolfram!

Auch das bisherige Muster allen Rittertums, Gawein, versagt in der „Tugend-Probe". Die höfische Vollkommenheit Gaweins war ein Tabu des „Artus-Romans", an das jetzt ohne weiteres gerührt wird: Die Gawein-Figur fällt aus ihrer Statik heraus.[20] Darum kann z. B. in der *crône* auch einmal Gawein, sonst stets als erstrebtes Ziel ritterlicher Selbsterziehung gewissermaßen „außerhalb" der *aventiuren*-Kette des jeweiligen Helden, selber zum Helden des Romans werden. Er ist jetzt „selbst ein Gemessener, nicht mehr das Maß".[21] Ob Held oder Besiegter: Es spiegelt sich in der „allmählichen Entwicklung der Figur Gaweins vom modellhaften, unbesiegbaren Repräsentanten des Hofes zur bloßen Kontrastfigur, die vom Protagonisten besiegt und schließlich ohne große Umschweife in den Sand gestoßen wird ... das Zurücktreten und Versagen der ethischen Norm der Gemeinschaft".[22]

Der erste Repräsentant des Artus-Rittertums folgt damit dem Weg, den der andere Exponent, die Keie-Figur, schon früher genommen hatte: nur noch einer unter vielen zu sein. Das Personen-Gefüge und damit die innere Struktur des „Artus-Romans" wird dadurch aufgelöst. Die beherrschenden Figuren verlieren ihre Funktion; ihre schon früh herausgebildeten konstanten Beziehungen untereinander können sich jetzt verschieben. Der König ist nicht mehr der strahlende, ideale Herrscher, um den das *aventiuren*-Gewoge kreist, Gawein verliert seine maß-gebende Funktion, Keie wird an den Rand abgedrängt. Heinrich von dem Türlin hat so wenig Gespür für die alten Figuren-Funktionen, daß Keie und Gawein zum ersten Mal in ihrer Geschichte als treue Freunde eng zusammengestellt werden (z. B. 22 134): In der Klage um den vermeintlich toten Freund fällt Keie gleich zweimal in Ohnmacht (16888/17094). Mit der Demontage der tragenden Figuren-Beziehungen, deren Konstanz im „klassischen" Artus-Roman möglich gewesen war durch gesellschaftspädagogische Bewußtheit und künstlerische Ökonomie der Autoren, geht Hand

---

[20] Bereits im *Wigalois* hatte G. ein Fräulein vergewaltigt, v. 1511 ff.
[21] BESCH, W., a. a. O., S. 99.
[22] KÖHLER, E., a. a. O., S. 114.

in Hand die formale D e s i n t e g r a t i o n : Statt übersichtlicher Hand-lungsverläufe, gliedernder (und symbolischer) „Stationen" ein wüstes Ge-wirr aufeinandergehäufter Abenteuer und zielloser Einzel-Aktionen. Die inneren und äußeren Proportionen des „Artus-Romans" gehen verloren; sie verändern sich auf Grund eines umfassenden Werte- und Kategorien-Verfalls. Der „höfische Roman" des späteren 13. Jhdts., bereits kurz nach seiner Blütezeit, gibt in seinem erzieherischen Anspruch nach, Leitbilder ritterlich-höfischer Kultur dem Publikum vorzustellen und vorzuhalten. Die sog. „höfischen Werte", schon längst fragwürdig, werden zwar noch behauptet, aber der realistische Blick u. a. von Heinrich von dem Tür-lin höhlt diesen Anspruch aus, wenn er z. B. eine verrohte Gesellschaft zeigt, die es durchaus in Ordnung findet, daß ein Ritter den bereits be-siegten Keie nahezu erwürgt. Die Diskrepanz von „höfischer" Konzeption und realistischer Entlarvung wird freilich einem so mediokren Autor wie Heinrich nicht bewußt; keine Ironie ist zu merken, zu der doch bereits Wolfram im Ansatz bereit war. Der Konflikt von „höfischer" Ideologie und unhöfischer Praxis wird erst späterer Literatur zugänglich.[23]

Die beim Stricker zuerst aufgetretenen, im *Jüngeren Titurel* und in der *Crône* weiterentwickelten Typen spät-höfischer Keie-Darstellung lassen sich zur Bestätigung exemplifizieren an weiteren Artus-Romanen. In den Werken, die sich speziell als „Fortsetzungen" hoch-höfischer Romane ver-stehen, ist naturgemäß die Neigung zu Kompilation und Stoff-Häufung auch in der Keie-Gestaltung stark vorhanden. Obwohl die „Fortsetzung" des H e i n r i c h von Freiberg von 1290 ein „Tristan"-Roman ist, dringt auch hier immer stärker der Artus-Stoff ein. Nicht genug damit, daß der Autor die „Wolfsfallen-Episode" aus Eilharts *Tristrant* einbaut (2925 ff.)[24]: Er erfindet (?) auch einen Kampf zwischen Tristan und Keie, der stereotyp verläuft, eine zufällige Begegnung zweier auf *aventiure* ausge-hender Ritter, fern vom Artushof, ohne jede tiefere Bedeutung. Realistisch und voll derber Komik wird der Kampf ausgemalt:

her Tristan ouch gedahte do
an dem rennen: ‚stich in ho,
so prellet er verre'. daz geschach:
her Tristan in mit kreften stach

[23] KÖHLER, E., „Die Totalität des geschichtlichen Zustands ist komplex gewor-den...", in: Esprit und arkadische Freiheit, Frankfurt 1966, S. 88.
[24] Vgl. u. a. BROGSITTER, H., a. a. O., S. 97.

> *rehte uf den bart under den helm*
> *Keie der viel in den melm* [Dreck]
> *sin ros lief hin gein Karidol . . .*
> *. . . inredes trof Keie her*
> *ze vuoze alsam ein nazzer vilz. . .* (2073 ff./2168) vgl. Kap. VIII

Eine in Stil und Sprache ähnlich unhöfische Darstellung einer „Niederlage" Keies findet sich nach ca. einem halben Jahrhundert in einem der spätesten Artus-Romane, der abschließend besprochen werden soll, im *N i u w e n   P a r z e v a l* der Straßburger Bürger W i s s e und C o l i n (1336), die verschiedene französische *Perceval*-Fortsetzungen (Manessier, Dourdan) „ausgeschlachtet" und kompiliert haben. Keie, begierig nach einem Puter, den ein Zwerg in einem fremden Schlosse auf dem Ofen brät, mißhandelt diesen Zwergen, möchte ihn sogar erschlagen. Der Schloßherr aber:

> *sluog er Kein einen slag so gros*
> *daz er vil nohe den tot erkos*
> *an den hals und in den giel*
> *daz er nider zer erden viel*
> *und nüt möhte geston.*
> *daz smalz im begonde gon*
> *durch daz kolier . . .* (183, 29 ff.)

Ein ritterlicher Zweikampf, etwa mit Parzeval, fehlt: Daraus entsteht bei den reimenden Bürgern eine deftige, in ihrer Brutalität abstoßende Prügelei. „So stümpern sie sich durch ihr Riesenopus hindurch" [25], reihen burleske, schwankartige Keie-Szenen und -„Kämpfe" aneinander. Der *Niuwe Parzeval* entspricht im Typ der um ein Jahrhundert früheren *Crône*, das Niveau der Darstellung und der Ansprüche ist aber noch tiefer, die Handlung noch diffuser und aufgeschwellt durch wahllos gereihte Abenteuer. Der vereinzelte Gewinn realistisch gesehener Genre-Szenen verhindert dabei nicht, daß man auch hier nur noch mit negativen Kategorien dieser Degenerationsform der höfischen Literatur beikommen kann.[26] Es hat hier, wie schon in der *Crône*, wenig Sinn mehr, nach Keies Funktion für das innere Gefüge oder den Handlungsverlauf zu suchen. Die Episoden haben Selbstzweck: In erster Linie ist auf die Komik, die Wirkung auf ein derbes, zu handgreiflichen Späßen aufgelegtes Publikum abgezielt (vgl. Kap. VIII). Eine durchschlagend komische Wirkung ist

---

[25] DE BOOR, H., Gesch. d. dt. Lit. III, 1, S. 86.
[26] Vgl. BESCH, W., a. a. O., S. 98 f.

aber nur möglich, wenn das bisherige relativ komplizierte und psychologische Reflexion herausfordernde Charakter-Bild „positiver" und „negativer" Eigenschaften vereinfacht wird. Der „gemischte Charakter" Keie, dessen Reiz zum großen Teil eben diese Zweideutigkeit ausmachte, wird aufgelöst ins Eindimensionale und Eindeutige des nur noch „bösen", mit Genugtuung zu bestrafenden und zu verlachenden Bösewichts: *wand er müelich was al sin leben* (392, 43). Der König verflucht ihn (392, 11); heimtückisch ermordet Keie, das Schwert unter dem Mantel versteckt, einen Ritter (692 ff.); feige vor allem — das widerspricht entscheidend dem Keie-Bild im *Iwein* und *Parzival* — hält der *vreche leie* (86, 46) Keie sich aus einer Schlacht des Königs Artus heraus:

> *... arges vol*
> *untugenthaft und spaeher sinne*
> *und übersprechig mit unminne* (87, 6 f.)

Diese vollständige N e g a t i v i e r u n g der Keie-Gestalt im *Niuwen Parzeval* war als Tendenz bereits lange sichtbar gewesen, z. B. schon bei Hartmann im Ansatz. Im 13. Jhdt. wird Keies Kritik immer stärker verketzert zum Ausdruck des endgültig „Bösen", wogegen alle „Guten" sich wenden sollen. Der Kleriker T h o m a s i n benutzt in seiner Tugendlehre des „ W ä l s c h e n G a s t " (1215/16) die Keie-Figur zur Demonstration moralischer Lehren:

> *boeser liute spot ist mir unmaere,*
> *han ich Gaweins hulde wol*
> *von reht min Keie spotten sol.*
> *swer wol gevellt der vrumen schar,*
> *der missevelt der boesen gar* (76 ff.)

Die aesthetische, fiktive Romanwelt um König Artus wird hier unter moralistischem Aspekt gesichtet. Ursprünglich entstanden mit der Säkularisierung geistlicher Zielsetzungen, verfällt der „schöne Schein" glanzvoller höfischer Kultur bald (wiederum) einer Moralisierung, die sich im 13. Jhdt. bereits wieder ins Enge zieht: die Gefahr einer rigorosen, dualistischen „Schwarz-Weiß-Malerei", der die problematische Keie-Gestalt nur zu leicht zum Opfer fallen muß. Eine Bestätigung für die nur noch negative, einseitig fixierte Sicht auf die Keie-Figur gibt — neben dem *Niuwen Parzeval* — gleichfalls die *M a n t e l p r o b e* (vv. 243, 973 ff.), eine Dichtung von ca. 1230, die dem Heinrich von dem Türlin zugeschrieben wird [27], und der (mittel)-niederländische *W a l e w e i n* [28], wo Keie u. a. Gawein hintergeht und vom König scharf verurteilt wird.

Die einseitige Verurteilung der Keie-Figur hat eine bezeichnende letzte Konsequenz. Bereits in den spät-höfischen Romanen eine im Grunde überflüssige Randfigur, wird er in der mnld. Erzählung *W a l e w e i n e n d e   K e y e* [29], ein Titel, der noch einmal die Polarität der beiden Figuren nachdrücklich bestätigt, durch den heftigsten Tadel des Königs [30] und den maßlosen Haß der Hofgesellschaft nun vollständig und endgültig aus dem alten, ehemals „höfischen" Wirkungskreis vertrieben: Er muß die Tafelrunde verlassen! In der unaufgehaltenen Entwicklung zum nur noch „bösen Truchseß" zeichnete sich dieser Abschluß ab: Die Herausdrängung und endlich die Beseitigung der Funktion und schließlich sogar der Gestalt „Keie". Dieses Ende der Keie-Figur ist mehr als ein Symbol, es ist der Verfall des „Artus-Romans" selber, der sich nicht zufällig im Niedergang der Gawein- und Keie-Figuren vollzieht; die Auflösung der höfischen Bilder- und Werte-Welt ergreift schließlich selbst die Substanz und den Figurenbestand des „Artus-Romans".

---

[27] „Mantelprobe", Verfasser vermutlich Heinrich von dem Türlin, vgl. dazu WARNATSCH, O., Germ. Abhdl. Bd. 2, Breslau 1883.
[28] Hrg. v. JONCKBLOET, Leiden 1846.
[29] Hrg. gleichfalls v. JONCKBLOET (Haagsche Hs. des *Lancelot*, vv. 18603–22270).
[30] „the king telling him to go the devil" in: ALMA, hrg. LOOMIS, a. a. O., S. 454.

VIII. Formen der Komik

In den meisten der spät-höfischen Romane schien Keie nur die eine Aufgabe noch zu haben, das Publikum am Artus-Hof und darüber hinaus das Lese- und Hörer-Publikum dieser Romane zu erheitern. Aber das muß auch schon ein Nebensinn seiner Darstellung bei Chrétien und Hartmann gewesen sein: Der „Kampf" mit Erec wirkt wie eine parodistische „Einlage". Ist diese Komik „zufällig", füllt sie nur aus, was an echter Funktion verloren ging? Oder hat sie nicht vielmehr selber „Funktion" als Ausdrucksmittel für eine immanente Werte-Hierarchie im „Artus-Roman"?

Die Komik der Keie-Figur muß mit ihrer Außenseiter-Position zusammenhängen. Die Diskrepanz zwischen dem Normalen, der Norm, auf die die Artus-Gesellschaft angelegt ist, und dem Abweichend-Sonderbaren der Keie-Erscheinung drückt sich aus in der Spannung des Publikums vor dem Unerwarteten, insgeheim längst schon Erwarteten, eine Spannung, die sich im Lachen des Einsichtigen löst: „Die plötzliche Verwandlung einer gespannten Erwartung in nichts." [1] Die ernste Spannung und Sorge z. B. vor dem Kampf mit Iwein im „Brunnen-Abenteuer" schlägt um in befreiendes Gelächter, als man erfährt, von wem und wie schmählich Keie besiegt worden ist. Das meint F. G. Jünger in der formalen Bestimmung: „Alles Komische geht aus einem Konflikt hervor" [2], hier dem Konflikt zwischen Anspruch und Wirklichkeit: In jeder Keie-Darstellung kommt unweigerlich der Augenblick, wo die angemaßte Würde des Truchsessen kollidiert mit unverhohlener Lächerlichkeit. Falsche Größe, eitle Ernsthaftigkeit werden bloßgestellt, darin liegt das befreiende Moment von Komik, wie es am schlagendsten vielleicht die Komödie Molières zeigen kann. Von dieser Art ist die Komik der Keie-Figur: Auf Entlarvung kommt es an; im Sturz angemaßter Größe bestätigt sich die echte. Der Doktrinär höfischer *êre*-Vorstellung wird an seinem eigenen Maßstab

---

[1] Kant, I., Kritik der Urteilskraft, II, S. 190 (§ 54).
[2] Jünger, F. G., Über das Komische, Hamburg 1936, S. 9.
Ausführliche Literaturangaben bei Fromm, H., Komik und Humor i. d. Dichtung d. dt. Mittelalters, in: Dvjs, 36, 3, 1962, 321 ff.

gemessen und für zu leicht befunden. Heitere Menschlichkeit kann immer dann triumphieren, wenn der „Tugendwächter" Keie sich mit eigenen Mitteln schlägt: Der gefürchtete Truchseß und Hof-Kritiker stolpert in die von ihm leichtfertig provozierte Kampfes-Niederlage hinein, die ihn als Versager und Großmaul entlarvt. Eine erste, grundsätzliche Form der Komik ist also in jeder Keie-Gestaltung angelegt als der Kontrast von Wollen und Tat, Reden und Sein [3]: So legt ausgerechnet derjenige, der die *zuht* am Hof beaufsichtigen will, *sich slafen uf den sal under in (Iwein,* 75), inmitten der zeremoniellen Gesellschaft. Die charakterliche Zwiespältigkeit in Keie wird zur Hauptquelle der Komik: Man kann sie als „C h a r a k t e r - K o m i k " [4] bezeichnen. Seine Anmaßung vor dem „Kampf" wird regelmäßig das Reservoir dieser Art von Komik. Keie macht „große Sprüche": *der iuch da richet, daz bin ich (Iwein,* 2468); oder *ich eine bin im ein her (Iwein,* 4656); im *Daniel: ich mache sie alle ze zagen, die mich ie geriten an/ mich bestuont nie dehein man* (178 ff.).

Eine variierte Form von Komik, objektive Bestätigung der „Charakter-Komik", stellt der K o n t r a s t z u m H e l d e n des jeweiligen Romans dar. Der Truchseß, der den Helden maßregelte, ihm unhöfisches Benehmen vorwarf, wird in ironischer Umkehrung selber zum unhöfischen Tölpel. Nicht nur die obligate Niederlage, sondern die Art der Niederlage dient als Zeichen der Unterlegenheit. Je schwächer und angeschlagener Keie im späteren Artus-Roman dargestellt werden soll, desto lächerlicher wird er im Kampf z. B. mit dem Lanzelet Ulrich von Zazikhofens oder mit dem Daniel des Strickers. Die Komik kann noch verschärft werden, wenn die leichte Auseinandersetzung mit Keie kontrastiert wird mit gerade vorangegangenen schweren Kämpfen des Helden wie in den *Erek*-Romanen: Der Kampf nimmt den Charakter eines Satyrspieles nach ernster Tragödie an, ein Intermezzo nicht zuletzt zur Publikumsaufheiterung.

In der zweiten konstanten Konfiguration Keies, im V e r h ä l t n i s z u G a w e i n , fehlt die direkte Auseinandersetzung im Zweikampf. Die Überlegenheit Gaweins kommt daher vor allem in der Komik Keies zum

---

[3] „Komik ... beruhend auf einem lächerlichen Mißverhältnis von ... erhabenem Schein und wirklichen niedrigem Sein ...", in: Sachwörterbuch der Lit., hrg. v. G. v. WILPERT, Stuttgart 1964, Art. „Komik".
[4] ,Charakterkomik' nur in dem Sinne v. H. FROMM, Komik u. Humor i. d. Dichtg. d. dt. MA, Dvjs 62, 1962, S. 331: „der komische Typ, der die komische Individualität vertritt."

Ausdruck. Sehr wirkungsvoll erweist sich der direkte Vergleich, die dichte Aufeinanderfolge von Keie- und Gawein-Szenen. In allen hoch-höfischen Artus-Romanen wird Keies lächerliche (Waffen)-Niederlage verdoppelt durch die unmittelbar folgende friedlich-vermittelnde, menschlich überzeugende Überwindung des jeweiligen Gegners: Kein simpler Mißerfolg Keies, sondern umfassendes Versagen im Sinne des „Höfischen" wird damit signalisiert. Hartmann dehnt den komischen Kontrast zu Gawein über die „Kampf-Szene" hinweg aus, wenn er die beiden schon in der „Hof-Szene" gegenüberstellt:

> *Gawein ahte uf wafen*
> *Keii legt sich slafen* (*Iwein*, 73 f.)

Eigentümlicherweise scheint der komische Gegensatz zu Gawein denn auch oft stärker als der zum Romanhelden zu sein: Gaweins gleichsam „prästabilierte Harmonie" läßt ihn unangreifbarer, souveräner und damit zugleich „heiterer" erscheinen als den eigentlichen Roman-Helden, der sich erst auf dem Weg der Vervollkommnung befindet und in seinem Ehrgeiz ernst genommen werden will.[5] Diese heitere Gelassenheit Gaweins kommt besonders zur Wirkung, wenn er sie dem verbiesterten, ewig zornigen oder beleidigten Keu entgegenstellt nach dessen Niederlage gegen Perceval. Die Beziehung dieser beiden besonders profilierten Artus-Ritter Keie und Gawein ist spannungsvoll in allen ihren Verhältnissen freundschaftlicher (*Erek*, *Crône*) bis distanziert-feindseliger Art (*Iwein*, *Perceval*). Für Keie ist Gawein der mit Eifersucht betrachtete Rivale, dessen Überlegenheit und höheren Rang er aber anerkennen muß. In ihrem komischen Kontrast verwirklicht sich etwas von der Gesetzmäßigkeit, die so entgegengesetzte und doch eng aufeinander angewiesene Gestalten wie Don Juan und Leporello, Don Quijote und Sancho Pansa, Faust und Wagner „verbindet" in einer spannungsreichen, polaren Einheit, wenn auch das Abhängigkeitsverhältnis bei Gawein und Keie nicht so eindeutig ist. Die gegensätzlichen Partner dieser Kontrast-„Paare" dienen einander als Folie, vor der sie ihre eigene Art erst voll entfalten. Komik muß entstehen aus der Ungleichheit der Partner. Die jeweils auf der tieferen Ebene Stehenden sind zugleich die „Begrenzten", die die Idealität und innere Freiheit ihrer Partner erst recht aufleuchten lassen. Ein komisches Licht

---

5 MOHR, W., in: Reallexikon, a. a. O., Art. „Humor": „Parzivals Ringen ... erscheint in humorvoller Brechung von Gawans selbstverständlicher Lebenssicherheit her betrachtet ..."

fällt nur dann auch auf den Ranghöheren, wenn wie z. B. bei Cervantes sich die Bewertung des Idealen verändert (s. u.).

Gaweins Idealität repräsentiert die prinzipielle Idealität des Artus-Bezirkes. Diese unbezweifelt dem Publikum zu demonstrieren, war die Absicht und der Sinn des höfischen Romans. War man sich auch der Märchenhaftigkeit bewußt, so sollten die dahinterstehenden Werte und Idealisierungen doch ernst genommen werden: Der Aristokratie des Hoch-Mittelalters dienten diese Romane als (zusätzliche) Legitimierung (vgl. Kap. IV). Die grundsätzliche Würde und „Ernsthaftigkeit" der Artus-Runde [6] scheint aber nun durch die Komik der Keie-Figur, die diesen Kreis ja als Truchseß wesentlich mitrepräsentiert, in Mitleidenschaft gezogen zu werden. Aber hier erweist sich die Isoliertheit der Keie-Figur: Ihre Komik greift nicht auf die Artus-Gesellschaft über, jedenfalls nicht im hoch-höfischen Roman, sondern diese Komik Keies drängt ihn selber an den Rand, in die Isolation. Eine Parodie auf das Artus-Rittertum soll die Keie-Figur gewiß nicht darstellen. Sie stellt die „höfische Welt" nicht im geringsten in Frage, sondern bestenfalls in ihren zu überwindenden Randerscheinungen. Eine grundsätzliche Anzweiflung und Kritik erfährt der Ritter-Roman erst Jahrhunderte später, bei Rabelais oder Cervantes explizit. Das Auseinandertreten von Ideal und Wirklichkeit ist in der Keie-Figur zwar angelegt, aber noch nicht thematisiert.

Für den späteren, nach-klassischen Artus-Roman ist es freilich eine Frage, wie weit dort die Artus-Welt in der Keie-Figur mit-getroffen werden soll oder objektiv mit-getroffen ist. In dieser Gestalt sind Elemente einer „Ritter-Satire" verborgen, die die spät-höfischen Dichter nur wenig ausgenutzt haben, wohl weil sie sie nicht ausnutzen wollten. Im Grunde fühlten sie sich wie z. B. der Pleier noch fraglos dem Geist hoch-höfischen Rittertums verpflichtet, so wie sie ihn verstanden. Erste Ansätze satirischer Übertreibung scheinen in den breit ausgewalzten „Tugendproben" z. B. der „Crône", auch im „Niuwen Parzeval" aber vielleicht schon gegeben zu sein. [7]

Nicht zu übersehen ist, daß in Keie a u c h das kritisierte Amt des Truchseß satirisch getroffen werden soll. Auf diesem Wege, so muß man ver-

---

[6] KELLERMANN, W., a. a. O., S. 134: „Perceval, bei dessen Darstellung es [Chrétien] um ungebrochenen Ernst zu tun ist."
[7] „Auch Schwankmotive (Mantelprobe, Trinkprobe) dienen dazu, den Grad der Ritterlichkeit zu messen", in: Reallexikon, a. a. O., Art. „Komische Dichtung" von J. WIEGAND.

muten, ist die Keie-Figur ins Fahrwasser der Komik geraten, zu der sie ja zunächst nicht disponiert war (vgl. Kap. IV). Unerkenntlich bleibt allerdings, ob das mittelalterliche Publikum in Keie mehr den „Ritter" oder den „Truchseß" gesehen und belacht hat. Gleichgültig aber, welcher Aspekt vorrangig ist: Die Komik der Keie-Figur hat eine ganz bestimmte Funktion. Einmal ist diese Komik die schärfste Form der Abwertung, zum andern rückt sie den möglichen Glanz echten „höfischen" Rittertums erst recht vor den Blick, eine Selbstbestätigung der höfischen Gesellschaft in Roman und Wirklichkeit aus dem Negativen und verächtlich Belachten heraus.[8]

Schon bei einem ersten Überblick der Romane fällt auf, daß alle diese Formen der Keie-Komik zwar grundsätzlich vorhanden, aber doch in sehr verschiedenem, individuellen Ausmaß realisiert worden sind.

Die verschiedenartigen Absichten in der Keie-Darstellung und die unterschiedliche persönliche Begabung und Neigung der Autoren zu „Humor" überlagern sich und führen zu sehr individuellen Keie-Wirkungen. Bei Chrétien legt sich durchweg eine schwer greifbare Ironie [9] über seine Keu-Darstellungen; nur selten, z. B. nach den „Kampf-Szenen", verschärft sie sich zu unverdecktem Spott über Keu; auch hier ist eine Verhaltenheit wie in Chrétiens gesamter Keu-Behandlung zu konstatieren. Hartmann dagegen äußert sich stärker satirisch-bitter. Sein Spott schlägt leicht um in erneute Ernsthaftigkeit einer Verurteilung Keies aus moralistischer Sicht, die das „Böse" in Keie nicht auf sich beruhen lassen will. Der Antipode Wolfram wiederum überläßt sich oft derbem, nicht bösartigem Humor [10] in seiner Keie-Schilderung: Das hellt auch unangenehme Züge Keies auf [11]. Es ist die mildeste Abwertung dieser Figur. Sie betrifft nur den Charakter, und vom Amt Keies nur das, was für Wolfram Komik verträgt. In einer der „Gefangenen-Szenen" z. B. soll Keie komisch wir-

---

8 FROMM, H., a. a. O., S. 331: „Der Ritterepik ist das Widerritterliche komisch, mitunter grotesk-komisch ... die Gestalt des Keie."

9 KELLERMANN, W., a. a. O., S. 130: „Chrétien [hat] in keinem seiner Werke rein komisch aufzufassende Figuren geschaffen."

10 KELLERMANN, W., a. a. O., S. 132: „Wolfram liebt es nicht, die Kontraste dadurch zuzuspitzen, daß er eine komisch wirkende Person lächerlich macht", dagegen: „[Chrétien] ist es nicht um Glättung. sondern um Pointierung zu tun."

11 „... wobei Wolfram in seiner Verteidigung Keies die Gestalt bezeichnenderweise aus der Komik in den Humor hinüberzieht", in: Reallexikon, a. a. O., Art. „Komische Dichtung" von J. WIEGAND.

ken als (pseudo)-majestätischer Küchenchef. Die *kraphen* [12] (vgl. Kap. III) führen in den Dunstkreis der Küche, die in der Antike und im Mittelalter häufig Anlaß für „ridicula" gab: Der „kriegerische Koch" [13] ist ein beliebtes Thema dieses weitverbreiteten „Küchen-Humors".[14]

Bei Chrétien, Hartmann und Wolfram tritt das komische Element an Keie also nur streckenweise und differenziert hervor. Die Kämpfe gegen den jeweiligen Roman-Helden sind zu ernst und wichtig, als daß nicht auch Keie, zumindest in diesen Augenblicken, einen Anteil dieser Ernsthaftigkeit mit-erhielte. Wolfram verzichtet sogar auf das stereotype, Heiterkeit erweckende „ledige Pferd": *der man wart wunt, daz ors lac tot* (*Parz.*, 295, 22).

Im f r ü h e n Artus-Roman, beim jungen Chrétien und Hartmann, auch bei Eilhart, steht die Komik Keies dagegen stark im Vodergrund. Im *Erek* wird Keie als lächerliche Karikatur Gaweins, mit dessen Pferd und Waffen, nach hohltönendem Gerede mit der umgedrehten Lanze spielerisch vom Pferd geworfen, so daß er . . . *rehte als ein sac/ under dem rosse gelac* (*Erek*, 4730).

Der Kampf im *Lancelot* ist bereits ein gut Stück ernster; er weist auf die zunehmende Bedeutung des Seneschalls hin. Echte Komik entfaltet sich dann aber, wenn der gefangene und verwundete Keu einer ihm wahrlich nicht zuzutrauenden Liebesbeziehung zur Königin verdächtigt wird. Unter dem Aspekt der Komik nimmt also der *Lancelot* gleichfalls eine Zwischenstellung in Chrétiens Artus-Epik ein.

Im *Tristrant* steht die „Wolfsfallen-Episode" ziemlich funktionslos, ein Schwank im Grunde [15], der auf das spätere Mittelalter vorausweist. Auf-

---

[12] Vgl. a. Parz. 184, 1, (Pelrapeire).
[13] Nach CURTIUS, E. R., Europäische Literatur und lateinisches Mittelalter, Bern 1948, S. 341: „Vitalis nennt einen ‚harderitus regis Franciae coquus et miles insignis'."
[14] Vgl. a. PANZER, FR., a. a. O., über Rumolt im Nibelungenlied: . . . „daß für diese (humoristische) Charakterisierung des Küchenmeisters . . . Einwirkung französischer Epik im Spiele war, in der die Köche durchweg als eine schamlose, zu jedem Unfug bereite Gesellschaft erscheinen"; vgl. a. Küchenszenen im *Willehalm*.
[15] FROMM, H., a. a. O., S. 328: „Das Schwankhafte schon in der frühhöfischen Spielmannsdichtung: der Provozierende wird als der Unterlegene durch die angemessene Replik des Helden in komischer Situation bloßgestellt", vgl. a. JÜNGER, FR. G., a. a. O.

schlußreich für Eilharts Vertrautheit [16] mit dem Artus-Roman ist, daß auch er die enge Gawein-Keie-Beziehung kennt und weidlich ausnutzt für komische Effekte (vgl. Kap. IV).

Im „hoch-höfischen" Roman (*Iwein*- und *Parzival*-Romane) wird also, so darf man schließen, offensichtlich die bereits im frühen höfischen Roman vorhandene Keie-Komik z u r ü c k g e d r ä n g t , um Platz zu schaffen für die ernsthafte Handlungs- und Gesellschafts-Funktion Keies. Diese gegenseitige Verzahnung von Komik und Handlungsbedeutung scheint gesetzmäßig zu sein. Sie findet Bestätigung im „spät-höfischen" Roman, der — nicht überraschend — Tendenzen des frühen höfischen Romans verwirklicht bzw. wieder aufnimmt. Im Artus-Roman des späteren 13. Jhdts. lebt die Komik der Keie-Figur ebenfalls aus den verschiedenen, bereits erkannten Kontrast-Figuren-Beziehungen, erobert sich aber hier, vergleicht man mit der hoch-höfischen Epik, einen unverhältnismäßig großen, von der Funktion her gar nicht gerechtfertigten Spiel-Raum. Ein epigonales „Zuviel" der Häufung und Übertreibung komischer Effekte steht hier der relativen Sparsamkeit und Funktionsgerechtigkeit bei Chrétien, Hartmann und Wolfram gegenüber, bei denen die Komik Keies immer auch Ausdruck des gesellschaftlichen Kräfte-Gefüges war.[17] Immer mehr Platz erhält im „spät-höfischen" Roman ein geradezu „naturalistischer Humor".[18] Vor allem der Stricker, Heinrich von dem Türlin und die Kompilatoren des *Niuwen Parzeval* füllen die aus den Fugen gehenden Szenen Keies damit an, während die konservativeren Wirnt von Grafenberg und der Pleier hier zurückhaltender sind. In Keies übergroßer Lächerlichkeit, in der allgemein exzessiven Komik der „Niederlage" soll sich zum einen die ungemessene Überlegenheit des entwicklungs- und krisenlosen Romanhelden spiegeln, zum andern ist es einfach naive Freude der Autoren an ausschweifender Drastik und greller S i t u a t i o n s - K o m i k . Ein erster Ansatz dazu war schon bei Hartmann zu beobachten gewesen; der Stricker greift er sogleich auf: *(Keie) sam ein sac/ under dem rosse lac* (*Daniel*, 3302, *Erek*, 4731, *Iwein* 2585). Vor allem am Sturz vom Pferd setzen die Autoren an:

---

16 Vgl. Ruh, K., a. a. O., S. 100.
17 Mohr, W.: „Zum Humor gehört Abstand und Humanität... Der deutsche Artusroman gewinnt jedenfalls den Bereich des Humors in voller Breite, gelegentlich schon bei Hartmann von Aue, vollends bei Wolfram von Eschenbach", in: Reallexikon, a. a. O.
18 Moser, H., Dichtung und Wirklichkeit im Hochmittelalter, in: WW-Sammelbd. II, 1962, S. 153 f.

> *wan er viel in einen graben*
> *daz ims hor durch die ringe dranc (Lancelet 2912)*
> *... den val vom orse muose haben*
> *ze tal in den burcgraben (Crone 3030)*
> *Keie der viel in den melm*

und: *... ze vuoze alsam ein nazzer vilz (Tristan 2078/2168)*

Immer weniger genügt die Niederlage Keies als Reservoir der Komik; man sucht sie zu variieren: Im *Daniel* (3271 ff.) wird Keie von einem Riesen als Schlagwerkzeug benutzt und in einen Baum geschleudert. In der *Crône* hält Keie eine Reihe lächerlich-anmaßender Reden, klagt in aller Öffentlichkeit über die Untreue seiner Dame (!) (3458), fürchtet sich vor wilden Tieren, als er sein Fräulein befreien will, hat Angst, daß sein Maultier (!) an einem schmalen Weg abstürzen könnte und kehrt um! (12715 ff.) — Gelegenheit in Fülle für ein lachbereites Publikum, das schließlich im *Niuwen Parzeval* gleichfalls auf seine Kosten kommt: Keie bezieht kräftige Prügel, wobei als Waffe ein gebratener, fetttriefender Puter dient: *daz smalz im begonde gon/ durch daz kolier ...* (183, 29).

Man darf freilich nicht übersehen, daß in der so übertrieben erscheinenden Häufung komischer Keie-Szenen ein Element der „Wiederholung" steckt, das für den Artus-Roman insgesamt zutrifft. Es findet sich z. B. in der auf Analogie und „Doppelung" aufgebauten *aventiuren*-Folge ebenso wie im abgezirkelten, auf Wiederholung gleicher Formen bedachten „Ritus" der Artus-Gesellschaft. Keie, einmal zur komischen Figur geworden und klassifiziert, wird doppelt komisch durch die voraussagbare Konstanz seiner Niederlagen — auch hier läuft ein Ritus ab: Großmäuligkeit vor dem Angriff, der mutige Ritt, die gebrochene Lanze, der Sturz vom Pferd, das heimwärts läuft, die Niederlage anzuzeigen, all das sind *topoi*, requisitenhaft zu Keie gehörende, immer wiederkehrende Merkmale. Als „ R e p e t i t i o n s - K o m i k " [19] kann man diese Form bezeichnen: Die Szenen und Motive sind beliebig wiederholbar, ihr Ablauf unterliegt einem Mechanismus und die Figur erhält etwas Grotesk-Marionettenhaftes. Im Typ entspricht diese Komik der der (späteren) „commedia dell'arte": In gleicher Szenen-Automatik und Repetitionskomik ist „Pantalone" der

---

[19] „Hauptmotiv der Situations-Komik ist die Wiederholung...", in: Sachwörterbuch d. Lit., hrg. v. WILPERT, G., a. a. O., S. 468; der Begriff stammt von Hugo Friedrich.

immer wieder getäuschte Alte, der „Dottore" in der Art Keies der wiederholt entlarvte Angeber.[20]

In der Gestalt des Keie nähert sich der Artus-Roman des 13. und 14. Jhdts. am stärksten dem „Schwank", dieser seit dem Stricker aufblühenden epischen Gattung: Keie wird zum Schelm [21], Possenreißer, zum „ewigen Verlierer". Darf man wagen, in seinem Typ eine Vor-Form des „Narren" [22] zu erblicken, die dem Stil und der Atmosphäre des höfischen Romans (noch) eingepaßt ist? Der Narr und Keie: Beide sind A u ß e n - s e i t e r der Gesellschaft und deren Durchschnittlichkeit. Keie ist der Ritter ohne *aventiure,* ohne *Minne:* Die beiden wesentlichen Ingredienzen des höfischen Ritters fehlen ihm.[23] Jenseits aller subjektiv-individuellen Komik verwirklicht sich damit in der Keie-Figur eine „objektive" Komik, die im Kontrast zur Konvention Gaweins und des Helden zum Ausdruck kommt. Diese „objektive" Komik in ihrer gesellschaftlichen Struktur sichtbar zu machen, dazu hilft vielleicht die aufgezeigte Analogie zum „Narren" — über die historische Herleitung und Verwandtschaft und die unterschiedliche Bewertung soll damit noch nichts gesagt sein.

Die Außenseiter-Rolle macht Keie zum „Typ". Keie ist, so herausfordernd „individualistisch", kauzig, buntscheckig er auch erscheint, G e - g e n - T y p zum Normal-Maß des „Artus-Ritters". Typik und Individuell-Realistisches schließen sich hier nicht aus, verwirklichen sich im Falle Keies vielmehr mit- und durcheinander: Keie bekommt gerade mit Hilfe seines unhöfischen „Individualismus" seine spezifische Funktion, seine Fähigkeit, Gegen-Typ zu sein.[24] Wendet man W. J. Schröders wichtige Erkenntnis auf Keie an, daß nämlich „die Hauptfiguren ... typisch, Neben-

---

[20] KAYSER, W., Die Groteske in Malerei und Dichtung, Hamburg 1957, S. 29.
[21] Vgl. MEINERS, I., Einleitung zu: Schelm und Dümmling in Erzählungen des deutschen Mittelalters, München 1967.
[22] In den Schwänken des späteren Mittelalters ist der Dümmling durchweg entweder mit einer ausgeprägten sinnlichen Schwäche behaftet o d e r ihn verblendet irgendeine Idee, die für das Zeitalter bezeichnend ist", in: MEINERS, I., a. a. O., S. 125.
„Er [sc. der Dümmling] ist der Vertreter des Überkommenen" (MEINERS, Einleitung, S. 1); der Dümmling wird im 15. Jhdt. zum Narren (MEINERS, S. 125 ff.).
[23] Vgl. a. RUH, K., a. a. O., S. 21, 23.
[24] Vgl. dagegen RUH, K., a. a. O., S. 111; Trennung von Individualität und Funktionalität: Bei Keie ist beides durcheinander bedingt.

figuren ... realistisch gezeichnet" sind [25], so zeigt sich: Keie ist Nebenfigur, aber mit der Tendenz, zu einer der Hauptfiguren zu werden. Aus
der ursprünglichen Randposition wächst er in den *Iwein-* und *Parzival-*
Romanen zusehends in eine Funktion und eine Handlungsrolle hinein,
die u n v e r z i c h t b a r ist für den „Artus-Roman".

---

[25] SCHRÖDER, W. J., Der dichterische Plan des Parzivals-Roman, in: PBB 74,
1952, S. 412: „ ... Der Dichter kann hier nur ein weniges tun [an individueller,
realistischer Darstellung, A. d. V.], wenn er nicht die Funktion stören will."

Zusammenhänge: Keie-Figur und Artus-Roman

Eine Zusammenfassung der wichtigsten Ergebnisse dieser Untersuchung soll die Perspektiven jedes Kapitels zur Gesamtsicht der Keie-Darstellung im Artus-Roman ineinanderfügen.

Die G e s t a l t des Keie besitzt, kopiert man die verschiedenen Keie-Bilder übereinander, generell zwei feste Grundeigenschaften, die einander diametral entgegenstehen: Bosheit und Tüchtigkeit (Tapferkeit). Sie bestimmen den widersprüchlichen „Charakter" Keies. Diese Struktur der Figur muß als erster Chrétien geschaffen haben. Den deutschen Epikern Hartmann und Wolfram dient diese Charakter-Zwiespältigkeit als Basis, von der sie ausgehen, die sie aber anders akzentuieren und bewerten. Unvoreingenommenes Schildern dieser Gestalt ist bei Chrétien — eines der Kennzeichen seiner Kunst — am stärksten ausgeprägt. Hartmann und Wolfram dagegen zeigen Neigung, die Keie-Figur jeweils mit unterschiedlichen Intentionen zu beladen und sie zur Demonstration eigener gesellschafts-pädagogischer und moralischer Vorstellungen zu benutzen. Ihr starker Umdeutungswille gegenüber Chrétien bemächtigt sich gerade dieser Figur Keie, weil sie deren Bedeutung im gesellschaftlichen Gefüge des Artus-Romans rasch erkennen. Unter ihren Händen erfährt jede der beiden Seiten Keies eine Ausformung und Verstärkung. Während Chrétien — noch relativ neutral — bösartige, tapfere, lächerliche Züge zum irisierend-undurchsichtigen Bild des Seneschalls zusammenmischt, macht Hartman daraus eine auf klare psychologische Durchleuchtung zielende Studie: die „Gespaltenheit" eines schwächlichen, wirkungslosen, aber ehrgeizigen und anspruchsvollen Schwätzers, die der Dichter aus theologisch-moralischen Erwägungen als „böse" verurteilt Wolfram verstärkt dagegen die „positive" Seite der Figur. Er stellt Keie als einen tüchtigen, tapferen, unentbehrlichen Truchseß hin. Wo er kann, unterdrückt oder verharmlost er die negativen Züge. Weil ihm das, durch die Vorlage immerhin gebunden, nicht ganz gelingt, interpretiert er darüber hinaus den angeblich „schlechten Charakter" Keies als üble Nachrede einer böswilligen Hofkamarilla.

Überblickt man die Keie-Figur bei Chrétien, Hartmann und Wolfram im ganzen, so bildet sich innerhalb eines Dreiecks von Positionen und Bewertungen dieser Dichter das klassische Profil der Keie-Figur heraus. Die Trias der hoch-höfischen Keie-Gestaltungen stellt in ihrer Verwandtschaft und in ihren Divergenzen aber ein mit starken Rand-Unschärfen behaftetes Bild der Keie-Gestalt vor uns hin: Eindeutigkeit ist bei aller mittelalterlichen Rationalisierung nicht erreicht. Gerade die so abstrakt konzipierte und klar formulierte Keie-Sicht Hartmanns kommt dem „Ärgernis" dieser Gestalt nicht recht bei; mit einseitiger Verurteilung ist es eben nicht getan. Die Größe der Differenzen in den verschiedenen Keie-Auffassungen weist unmittelbar auf die empfindliche Kompliziertheit im Verhältnis von höfischer Gesellschaft und individueller Ritter-Existenz: Hier liegt Keies Funktion und Bedeutung. In der sich als Elite auffassenden (hoch-höfischen) Feudalgesellschaft, deren Ideal-Konzeption der „Artus-Roman" darstellt, besitzt die Keie-Figur die F u n k t i o n der „Kritik", des fordernden Anreizes für den Einzelnen. Keie vor allem bewirkt, auf welchem Wege auch immer, die Vertreibung des Roman-Helden, seine Prüfung und Rehabilitierung, in der sich die gesamte höfische Gesellschaft gleichfalls bestätigt sieht. Keie ist notwendig: Im Ansatz von Chrétien und weitergehend von Hartmann wird Keie charakterlich „negativ" dargestellt nicht zuletzt deshalb, w e i l diese seine höfische „Negativität" den Zwang schafft zur „positiven" Selbstbestätigung des Helden und der Gesellschaft. Die Figur Keie ist somit ein d i a l e k t i s c h e s Element in der Gesellschafts-Etablierung. Sein Schatten treibt erst den Glanz des „Höfischen" vollends zur Erscheinung, indem er *hövescheit* ins Bewußtsein treten läßt. Wolfram dreht dieses Verhältnis um, was begründet ist in seinem skeptischen und realistischen Blick auf die zeitgenössische Gesellschaft: Diese selbst ist jetzt besserungsbedürftig. Die Kritik-Funktion Keies wird daher bei Wolfram auch i n h a l t l i c h „positiv" bewertet; sie dient der Erziehung und Reinigung einer schon von Verfall und Verrohung bedrohten Gesellschaft.

Daß Keie, wie man ihn auch bewerten mag, eine konstitutive Gestalt in der höfischen Gesellschaft des Artus-Romans ist, bestätigt die polare Stellung zu G a w e i n. In diesen beiden Figuren ist das „Höfische Sein" repräsentiert in seiner dialektischen Spannung: Gawein ist der symbolische Ausdruck der möglichen Vollkommenheit und der Harmonie von einem (auf Selbstdarstellung und *êre* bedachten) Ritter-Individuum innerhalb der höfischen Gemeinschaft, während umgekehrt in der Figur des Keie die zugleich immer mögliche, gesellschaftsimmanente „Disharmonie" sich artikuliert. Das Zusammenwirken beider Figuren ist der Ausdruck einer nie spannungslosen, ungefährdeten Einheit der „höfischen Gesellschaft". Dieser enge Zusammenhang mit der Gesellschaftsdarstellung und -problematik verschafft der Keie-Figur die erst allmählich erkennbare Bedeutungsfülle. Wo dieser Zusammenhang nicht gesehen oder im weiteren: das Gesellschafts-Ideal nicht (mehr) gestaltet wird, wie zum großen Teil im „spät-höfischen" Roman, muß notwendig eine Reduktion bis hin zum völligen Sinnverlust der Keie-Figur eintreten. Unversehens wird Keie somit zu einer Schlüsselfigur: Angriffspunkt und Argument in der Auseinandersetzung unterschiedlicher gesellschaftlicher und politisch-moralischer Auffassungen. Der Wichtigkeit dieser Probleme vor allem in der hochhöfischen Zeit verdankt die Keie-Figur — nicht etwa einer von vornherein „gegebenen" Substanz —, daß sie für Augenblicke ins Zentrum des inneren wie äußeren Geschehens rücken kann.

Die Bedeutung der Keie-Figur tritt unmittelbar nach außen in die Erscheinung als H a n d l u n g s p o s i t i o n. Allerdings ist von „Handlung" im modernen Sinn (einer kontinuierlichen Geschehens-Folge) in mittelalterlicher Dichtung nicht eben viel vorhanden. Die Dichter gestalten punktuell, Episoden und „Stationen" sind nur locker gereiht, aber perspektivisch geordnet in einem „programmatischen Zusammenhang" geistiger Wertungen. Für eine „Handlung" in diesem Sinn wird Keie wichtig, weil er als „Provokateur" und bestrafter Störenfried eingespannt ist in den exemplarischen Weg des Roman-Helden vom Aufbruch bis zur Rückkehr an den Artus-Hof. Der schmale Strang einer „Keie-Handlung" (in Kontrast zur „Gawein-Handlung") ist im hoch-höfischen Roman zu erkennen. Zum Teil weit auseinanderliegende Episoden sind hier verknüpft zu einer sinnvollen und zielgerichteten Szenen-Folge. Die Rolle der Keie-Figur im Roman-Verlauf kann am besten noch einmal die „Blutstropfen-Szene" des *Parzival* sichtbar machen: ein wichtiger Handlungsabschnitt und zugleich eine symbolische Bildreihe vom Wesen des „Höfischen". In gradualistischer Stufung einander zugeordnet, trägt jede der vier Gestalten — Sagremor, Keie, Gawan, Parzival — mit dazu bei, den äußeren Rang und die innere Bedeutung der jeweils anderen zu akzentuieren und zu deuten.

Gestalt, Funktion, Handlungsrolle bedingen sich gegenseitig. Auf allen Betrachtungsebenen zeigt sich die G a n z h e i t l i c h k e i t des Phänomens „Keie": Der widersprüchliche „Charakter" entsteht aus seiner „Kritiker"-Funktion, aus dieser wiederum erklärt sich Keies „Störwirkung", die ihrerseits in die „Keie-Handlung" umgesetzt ist. Chrétien, Hartmann und Wolfram fügen diese Figur, indem sie ihr zunehmend Funktion und Handlungsbedeutung zuerkennen, bruchlos in das innere und äußere Gefüge des Roman-Ganzen ein. Der Artus-Roman und die Keie-Gestalt sind wesentlich durcheinander vermittelt: Die Keie-Figur empfängt vom Roman ihren Bedeutungsgehalt, und umgekehrt trägt sie zur Ausformung des Roman-Sinnes nicht unwesentlich bei. Die künstlerische Höhe des (hoch-höfischen) Artus-Romans erweist sich nicht zuletzt in dieser Korrespondenz von Einzelfigur und Roman-Ganzheit. Erstaunlich ist es, wie sehr es für kurze Zeit im Artus-Roman gelingt, eine zunächst doch beiläufig-zufällige Nebenfigur wie Keie an den Problemkern, in die thematische Tiefenschicht der höfischen Dichtung hineinzuziehen und sie vollständig in Sinn und Struktur des Artus-Romans zu integrieren. (Man könnte fragen, wie weit ein vergleichbarer Prozeß bei anderen Figuren zu beobachten ist.)

Dieser Zusammenhang kann bestätigt werden, wenn wir die zeitliche Dimension in die Betrachtung einbeziehen: Die G e s c h i c h t e der Keie-Gestalt im Hinblick auf die jeweils erreichte Integration der Figur in das Sinn- und Struktur-Gefüge der einzelnen Romane.

Drei Elemente bestimmen die Ausprägung der Keie-Gestalt in charakteristisch wechselnder Zusammensetzung. Im Anfang ihrer literarischen Fixierung, in vor-höfischer Zeit, wird die Figur noch durchaus p o s i t i v gesehen: Keie ist tüchtig, tapfer, unentbehrlich. Dann kommt, wahrscheinlich schon früh, als zweites das Moment des „ b ö s e n T r u c h s e ß e n “ hinzu, für uns nur zu fassen im umstrittenen und kritisierten Amt in der Realität der Höfe und in deren Spiegelung in der Dichtung (z. B. „Drachen-Truchseß“). Dieses immer beherrschender werdende Element des „Bösen“ an Keie verfällt in der Idealität des Artus-Kreises der Verurteilung, aber nun nicht primär in moralischer, sondern — bezeichnend für das starke ästhetische Element der höfischen Kultur — in der (ästhetischen) Form der Lächerlichkeit: Die K o m i k ist das dritte Charakteristikum der Keie-Gestaltung. In jeder Darstellung der Keie-Figur lassen sich diese drei Schichten sondern. Selbst wo eines der Elemente stark im Vordergrund steht, hat es darum doch nicht die beiden anderen verdrängt.

Im frühen höfischen Roman, im *Tristrant* Eilharts, im *Erec* und *Lancelot* Chrétiens, sind in Ansätzen alle drei Elemente vorhanden, aber noch in beinah zufälliger, wenig konturierter Ausformung und in verschwommener Beziehung zueinander. Im hoch-höfischen Roman erst ist das Bemühen erkennbar, die drei wesentlichen Komponenten der Keie-Gestaltung in ihrer gegenseitigen Abhängigkeit zu erklären. Bei verschiedener Akzentuierung ist es hier in jedem Roman gelungen, eine glaubwürdige Geschlossenheit und Fundierung der Gestalt aus den verschiedenen disparaten Elementen zu erreichen.

Der „spät-höfische" Roman zeigt die Verfalls-Möglichkeit der Keie-Gestaltung: Die kunstvoll ausbalancierte Einheit von Gestalt und Funktion im klassischen Keie-Porträt bricht auseinander. Die einzelnen, jetzt isolierten Charakter-Komponenten unterliegen einer (spät-mittelalterlichen) Übertreibungs-Tendenz, so daß Karikaturen entstehen und monströse Einzel-Züge das hoch-höfische Keie-Bild verzerren. Die scheinbare Zunahme der Aktionen Keies ist in Wahrheit eine R e d u k t i o n : schließlich zum n u r noch „bösen", hemmungslosen Spötter, der niemanden mehr ungeschoren läßt, oder zur n u r noch komischen, Don-Quijote-ähnlichen Karikatur des Artus-Ritters. Der Zug des „Tüchtig-Tapferen" wird jetzt stark zurückgedrängt. Das mit psychologischem und künstlerischem Feingefühl von Chrétien, Hartmann und Wolfram geschaffene komplizierte Gleichgewicht divergierender Züge von Tapferkeit und Bosheit, Tüchtigkeit und Lächerlichkeit, diese Aufgabe wird den nachfolgenden Dichtern des 13. und 14. Jhdts zu schwierig. Für den anspruchslosen Geschmack der spät-höfischen Gesellschaft verkleinern sie Keie zur eindimensionalen, leicht zu verurteilenden oder zu verlachenden burlesken Figur.

Man erkennt in der Geschichte der Keie-Darstellung am Ende eine eigentümliche G e s e t z m ä ß i g k e i t : Im „frühen" u n d im „späten" höfischen Roman tritt die Komik der Keie-Figur stark in den Vordergrund. Wenn auch in unterschiedlicher Form und Intensität realisiert, dient sie doch überall dazu, die Bedeutung und Wirkung Keies zu beschneiden bzw. gar nicht erst zu entfalten. Die Kritik-Funktion der Keie-Figur zu gestalten, gelingt weder dem frühen höfischen Roman, der diese noch gar nicht erkennt, noch dem „spät-höfischen" Roman, der diese gar nicht mehr erkennen will. Zwischen einem ‚noch nicht' und einem ‚nicht mehr' erreicht die Keie-Figur den Scheitelpunkt ihrer literarischen Bedeutung, von dem sie rasch genug durch Ignoranz oder Unvermögen der späteren Autoren absteigt: Seine Funktion, die *êre* des Helden in Frage zu stellen, wird in mechanischer Weise ersetzt durch die „Tugendprobe". Dem Funktionsschwund Keies entspricht in der Romanstruktur die Zufälligkeit seines Auftretens, so daß die Szenen austauschbar und (zur Publikumserheiterung) beliebig vermehrbar werden. Bezeichnenderweise gehört auch die „Wolfsfallen-Episode" beim früh-höfischen Eilhart diesem Typ der Keie-Darstellung an.

Dem Anspruch der Artus-Dichtung auf Gesellschafts- und darüber hinaus: Welt-Deutung entspricht dagegen im hoch-höfisch-„klassischen" Stadium die Sättigung der Keie-Figur mit Funktion und symbolischer Bedeutung, die der Komik nur noch wenig Spielraum läßt. Bei Wolfram, dem eigentlichen Höhepunkt in der Darstellung und Bewertung der Keie-Funktion, kommt Komik nur in wenigen Augenblicken auf.

K o m i k und „ F u n k t i o n " der Keie-Figur stehen also in einem charakteristischen Wechselverhältnis in der Geschichte des Artus-Romans. Vielleicht ist es möglich, aus dieser Gesetzlichkeit einen Erkenntnisweg zu erschließen: Die Art der Keie-Darstellung als ein wichtiges Indiz zu begreifen für die Auffassung und Darstellung der „höfischen Gesellschaft". Der jeweilige gesellschaftliche Bewußtseinsstand der Autoren schlägt sich gerade auch in ihren Keie-Deutungen nieder. Die Metamorphosen dieser merkwürdig wichtigen Gestalt können somit einen Einblick in die innere Entwicklung des Artus-Romans und seiner Gesellschaft geben. Die gängige literaturhistorische Vorstellung eines chronologischen Dreischritts „früh — hoch — spät", zunächst heuristisch angewandt, wurde während der Einzeluntersuchung im wesentlichen bestätigt. Nicht zuletzt die frappanten, stofflichen und stilistischen Übereinstimmungen der Keie-Darstellung im frühen und im „spät-höfischen" Roman sind ein Beleg dafür.

Die ideelle Selbstdarstellung der führenden Gesellschaftsschicht in ihrer Literatur blieb ebenso wie die Entwicklung eines elitären, (selbst-) erzieherischen Ethos eine Episode von kurzen Jahrzehnten.

Das schlägt sich erstaunlich präzis nieder im allmählichen und konsequenten Aufbau und im nachfolgenden raschen Verfall einer Romanfigur.

Literaturverzeichnis

Quellen

CHRÉTIEN de Troyes   Erec et Enide, hrsg. v. Förster, Wendelin, 3. Aufl., Halle 1934.

Le chevalier de la charette (= Lancelot), hrsg. v. Förster, Wendelin, Halle 1899.

Le chevalier au lion (= Yvain), hrsg. v. Förster, Wendelin (gr. Ausg.), 4. Aufl., Halle 1912.

Le conte du Gral (= Perceval), hrsg. v. Hilka, Alfons, Halle 1932.

HARTMANN von Aue   Erek, hrsg. v. Leitzmann, Albert, Halle 1939 (Adt. Textb. 39).

Iwein, hrsg. v. Benecke, Georg und Lachmann, Karl, 5. Aufl., red. Wolff, Ludwig, Berlin u. Leipzig 1926.

WOLFRAM von Eschenbach   Parzival, hrsg. v. Lachmann, Karl, 6. Ausgabe, Berlin und Leipzig 1926.

EILHART von Oberge   Tristrant, hrsg. v. Lichtenstein, Franz, Straßburg 1877.

GOTTFRIED von Straßburg   Tristan und Isold, hrsg. v. Ranke, Friedrich, 4. Aufl., Berlin 1959.

WIRNT von Grafenberg   Wigalois, hrsg. v. Kapteyn, J., Bonn 1926.

ULRICH von Zazikhofen   Lanzelet, hrsg. v. Hahn, Karl August, Frankfurt 1845, Neudruck 1965.

Der STRICKER   Daniel vom blühenden Tal, hrsg. v. Rosenhagen, Gustav, Breslau 1894.

Der PLEIER   Garel von dem blühenden Tale, hrsg. v. Walz, Michael, Freiburg 1892.

HEINRICH von dem Türlin Diu crône, hrsg. v. Scholl, Heinrich, Lit. Ver. Stuttgart 27, 1852.

ALBRECHT von Scharfenberg Der Jüngere Titurel, hrsg. v. Wolf, Werner, Berlin 1955.

HEINRICH von Freiberg Tristan-Fortsetzung, hrsg. v. Bechstein, Reinhold (Dt. Dichtg. d. MA's., Bd. 5), Leipzig 1877.

Claus WISSE und
Philip COLIN Der niuwe Parzeval, hrsg. v. Schorbach, Karl, Straßburg 1888.

Darstellungen

Aselmann, Karl: Der Marschall Keu in den altfrz. Artusepen, Jena, Phil. Diss. 1925.

Auerbach, Erich: Mimesis. Dargestellte Wirklichkeit in der abendländischen Literatur, Bern 1946.
Darin: Der Auszug des höfischen Ritters, S. 123—140.

Besch, Werner: Vom ‚alten' zum ‚nüwen' Parzival, DU 14, H 6, 1962, S. 91—104.

Bezzola, Reto: Le sens de l'aventure et de l'amour. Chrétien de Troyes, Paris 1947. Dt. Übers. in: Rowohlts dt. Enzyklop. Bd. 117/18, Hamburg 1961.

—: Der frz.-engl. Kulturkreis und die Erneuerung der europäischen Literatur im 12. Jhdt., in: Z. f. Rom. Ph., 62, 1942.

—: Les origines et la formation de la littérature courtoisie en Occident 500—1200, Paris 1944/63.

Bindschedler, Maria: Die Dichtung um König Artus und seine Ritter, in: DVjs. 31 (1957), S. 84—101.

Boesch, Bruno: Die Kunstanschauung in der mittelhochdeutschen Dichtung, Bern und Leipzig 1936.

de Boor, Helmut: Der ‚Daniel' des Stricker und der ‚Garel' des Pleier, in: PBB 79 (1929), S. 67 ff.

—: Geschichte der deutschen Literatur, Bd. 2 und 3, 1, München 1960/62.

Brinkmann, Hennig: Zu Wesen und Form mittelalterlicher Dichtung, Halle 1928.

Brogsitter, Karl Otto: Artusepik, Stuttgart 1965 (Sammlg. Metzler, Abt. D, Bd. 38).

Brugger, E.: Der Schöne Feigling in der arthurischen Literatur, in: Z. f. Rom. Ph. 61, 1941.

Bumke, Joachim: Wolfram von Eschenbach, Stuttgart 1969 (Sammlg. Metzler, Abt. D, Bd. 36).

Cohen, Gustav: Chrétien de Troyes et son oeuvre, Paris 1931.

Cramer, Thomas: Saelde und ere in Hartmann „Iwein", Euph. 60, 1966.

Curtius, Ernst Robert: Europäische Literatur und Lateinisches Mittelalter, Bern 1948.

Drube, Herbert: Hartmann und Chrétien, Münster, Phil. Diss. 1931, in: Forsch. z. dt. Spr. u. Dtg., H. 2.

Ecker, Lawrence: Arab., prov. u. deutscher Minnesang, Bern, Phil. Diss. 1934.

Emmel, Hildegard: Formprobleme des Artus-Romans und der Graldichtung, Bern 1951.

—: Das Verhältnis von êre und triuwe im Nibelungenlied und bei Hartmann und Wolfram, Frankfurt 1936.

Faral, Edmond: La légende Arthurienne, 3 Bde., Paris 1929.

Fink, Reinhard: Der Artus-Stoff in der deutschen Dichtung des Mittelalters, in: Zt. f. dt. Geisteswiss. 1939.

Freie, Margreta: Die Einverleibung der fremden Personennamen durch die mhd. höfische Epik, Amsterdam 1933.

Friedrich, Hugo: Die Rechtsmetaphysik der Göttlichen Komödie, Frankfurt 1942.

Friedrich, Wolf-Hartmut: Fischer-Lexikon 35, 1, Frankfurt 1965, Art. „Antike".

Fromm, Hans: Komik und Humor in der Dichtg. d. dt. MA, DVjs. 62, 1962.

Graf, Hildegard: Die vier germanischen Hofämter in der deutschen Heldendichtung, Freiburg, Phil. Diss. 1963.

Gutenbrunner, Siegfried: Über die Quellen der Erec-Sage, in: Arch. f. d. Stud. d. n. Spr. 190, 1953, S. 1—20.

Hauser, Arnold: Sozialgeschichte der mittelalterlichen Kunst, Hamburg 1957.

Heer, Friedrich: Die Tragödie des Heiligen Reiches, Stuttgart 1952.

Hempel, Heinrich: Französischer und deutscher Stil im höfischen Epos, in: GRM 23, 1935.

Hertz, Wilhelm: Übersetzung des Tristan, Anmerkungen, Stuttgart 1877.

Hofer, Stefan: Chrétien de Troyes, Leben und Werk, Graz 1954.

—: Erec-Studien, in: Zt. f. Rom. Ph. 62, 1942.

Hoops, Johannes: Reallexikon der germanischen Altertumskunde, Bd. 2, Straßburg 1911.

Huizinga, Johan: Herbst des Mittelalters, 8. Aufl., Stuttgart 1961.

Jung, Carl Gustav, Kerényi, Karl, Radin, P.: Der göttliche Schelm, Zürich 1954.

Karl, Emil: Minne und Ritter-Ethik bei Wolfram von Eschenbach, Freiburg, Phil. Diss. 1952.

Kayser, Wolfgang: Das Groteske in Malerei und Dichtung, Hamburg 1957.

Kellermann, Wilhelm: Aufbaustil und Weltbild Chrétiens von Troyes im Perceval-Roman, Beih. d. Zt. f. Rom. Phil. 88, Halle 1936.

Köhler, Erich: Ideal und Wirklichkeit in der höfischen Epik, in: Zt. f. Rom. Ph., Beih. 97, Tübingen 1956.

Kolb, Herbert: Die Blutstropfen-Episode bei Chrétien und Wolfram, in: PBB 79, 1957.

—: Der Begriff der Minne und das Entstehen der höfischen Lyrik, Tübingen 1958.

Kuhn, Hugo: Erec, in: Festschr. Kluckhohn-Schneider, 1948, S. 122—157.

—: Gattungsprobleme der mittelhochdeutschen Literatur, München 1956.

Lehmann, Paul: Die Parodie im Mittelalter, München 1922.

Lerner, Luise: Studien zur Komposition des höfischen Romans im 13. Jhdt., Münster 1936.

Loomis, Roger: Arthurian Tradition and Chrétien de Troyes, New York 1949.

—: (Hrsg.) Arthurian Literature in the Middle Ages, Oxford 1959.

Marx, Jean: La Légende Arturienne et le Graal, Paris 1952.

Maurer, Friedrich: Leid, Studien zur Bedeutungs- und Problemgeschichte, Bern und München 1951.

—: Das Grundanliegen Wolframs von Eschenbach, in: DU 8 (1956), H. 1, S. 46—61.

—: Die politischen Lieder Walthers von der Vogelweide, Tübingen 1960.

—: Tugend und Ehre, in: WiWo, Sammelbd. II, 1962, S. 55—63.

Meiners, Irmgard: Schelm und Dümmling in Erzählungen des deutschen Mittelalters, München 1967.

Mergell, Bodo: Wolfram von Eschenbach und seine französischen Quellen, Teil 2, Münster 1943.

Meyer-Lübke, Wilhelm: [über Chrétien], in: Zt. f. frz. Spr. 44, (1917), S. 176—79.

Mitteis, Heinrich: Lehnrecht und Staatsgewalt. Untersuchungen zur mittelalt. Verfassungsgeschichte, Weimar 1958.

Mohr, Wolfgang: Parzival und Gawan, Euph. 52 (1958), S. 1—22.

Moser, Hugo: Dichtung und Wirklichkeit im Hochmittelalter, in: WiWo, Sammelbd. II, 1962, S. 153—165.

Mushacke, Wilhelm: Kei der katspreche, Berlin Phil. Diss. 1872 (nicht greifbar).

Naumann, Hans: Einleitung zur Hartmann-Ausg., Leipzig 1933.

Panzer, Friedrich: Vom mittelalterlichen Zitieren, Sitzgsber. d. Heidelberger Akad. d. Wiss., 1950.

Prutz, Robert: Chrétiens ‚Yvain‘ und Hartmanns ‚Iwein‘ nach ihrem Gedankengehalt verglichen, Erlangen, Phil. Diss. 1927.

Rhys, John: Studies in the Arthurian-Legend, Oxford 1891.

Rosenhagen, Gustav u. Simon, Werner: Artikel ,Merker' im Reallexikon d. dt. Lit. gesch., Bd. II, S. 301.

Ruh, Kurt: Lancelot, in: DVjs. 33 (1959), S. 269 ff.

Ruh, Kurt: Höfische Epik des deutschen Mittelalters, Bd. I, Berlin 1967.

Sandkühler, Konrad: Perceval-Übersetzung, 2. Aufl., Stuttgart 1957.

Saran, Franz: Zur Komposition des Artusromans, PBB 21, 1896.

Scheunemann, Ernst: Artushof und Abenteuer. Zeichnung höfischen Daseins in Hartmanns ,Erek', Breslau 1937.

Schirmer, Walter: Die frühen Darstellungen des Artus-Stoffes, Köln 1958.

Schröder, Walther Johannes: Horizontale und vertikale Struktur bei Chrétien und Wolfram, in: WiWo 9 (1959), S. 321—326.

—: Der dichterische Plan des Parzival, in: PBB 74 (1952).

Schultz, Alwin: Das höfische Leben zur Zeit der Minnesinger, 2 Bde., Leipzig 1889.

Schürr, Friedrich: Das Aufkommen der ,matière de Bretagne' im Lichte der veränderten Literatur-geschichtlichen Forschung, in: GRM IX, 1921.

—: Das altfranzösische Epos, München 1926.

Schwietering, Julius: Typologisches in mittelalterlicher Dichtung, Festg. f. G. Ehrismann, Leipzig 1925.

Seibold, Lilli: Über die ,huote', German. Stud., 123, 1932.

Singer, Samuel: Die Artus-Sage, Bern 1926.

Sparnaay, Hendricus· Artikel ,Artusroman', in: Reallexikon d. dt. Lit. gesch., Bd. I, 1958, S. 106—117.

Trendelenburg, Adolf: Der ,Lancelet' des Ulrich von Zazikhofen, Tübingen Phil. Diss. 1955.

Waitz, Georg: Deutsche Verfassungsgeschichte, Bd. 2, 2, Berlin 1882.

Wapnewski, Peter: Hartmann von Aue (Sammlg. Metzler, Abt. D, Bd. 17), 3. Aufl., Stuttgart 1967.

Weber, Gottfried u. Hoffmann, Werner: Gottfried von Straßburg (Sammlg. Metzler, Abt. D, Bd. 15), 3. Aufl., Stuttgart 1968.

Wechßler, Eduard: Das Kulturproblem des Minnesangs, Halle 1909.

Wehrli, Max: Strukturprobleme des mittelalterlichen Romans, in: WiWo 10 (1960), S. 33 ff.

—: Wolfram von Eschenbach. Erzählstil und Sinn seines ,Parzival', in: DU 6 (1954), S. 17—40.

Witte, Arthur: Hartmann von Aue und Chrétien von Troyes, in: PBB 53, 1929, S. 65—192.

Wolff, Ludwig: Hartmann von Aue, in: WiWo Sammelbd. II, 1962, S. 184—193.

Zenker, Rudolf: Forschungen zur Artus-Epik, in: Zt. f. Phil., Beih. 70, 1921.

Zwierzina, Konrad: [über Keie-Namensformen], in: Z. f. dt. A. 45, 1901, S. 322 ff.

Personenregister

(Die Namen Chrétiens, Hartmanns, Wolframs bleiben wegen ihrer Häufigkeit unberücksichtigt).

GRUNDLAGEN DER GERMANISTIK

Eine Handbuchreihe

Herausgegeben von Hugo M o s e r · Mitbegründet von Wolfgang S t a m m l e r

Bisher liegen vor:

Weitere Bände folgen fortlaufend!

 ERICH SCHMIDT VERLAG